緊張しても

「うまく話せる人」

The Power of Habits
Will Change Your Life.

How to speak even when nervous
-50 Habits to Brighten Your Life-

「話せない人」

の習慣

KUMIKO
MARUYAMA

丸山久美子

はじめに

この本を手に取ってくれた人には、きっと様々な人がいるでしょう。


緊張すると話せなくなる人。

話すときにすぐ緊張してしまい、しどろもどろになってしまう人。

話している最中に頭が真っ白になってしまった経験が、トラウマになっている人。

緊張しいな自分を変えたくて、色々な方法を試したものの、なかなか変わることができずに悩んでいる人。


どの人も少しずつ違いますが、1つだけ共通点があるのではないでしょうか。

それは、「緊張せずに、話せるようになりたい」と思っていることです。


そう思っているあなたに、伝えたいことがあります。

緊張しいなままでも、話せるようになります。

緊張は、克服しなくても大丈夫です。

▼緊張を克服しようとしたら、心と体を壊しました

私は、18歳でイベント業界に入りました。ＭＣやプレゼンター、司会業など様々な場で「話す」仕事を経験し、現在は話し方講師として活動しています。

そして、今も昔も緊張しいなままです。


小さな頃は「緊張せずに話せるようになりたい」と、ずっと思っていました。

昔から緊張しいで、小学生のときは、授業で当てられたり、音楽の授業でクラスメイトの前で歌ったりするのが苦痛で仕方ありませんでした。

初対面の人との挨拶、複数人での会話など、話す場面ではいつも緊張していました。

でも、必死に強がって、どんなに手足が震えても、どんなに口から心臓が飛び出しそう

になっても、緊張していないフリをして生きてきました。

「緊張するのはカッコ悪い」「しっかりしていて、何でもできる人間に見られたい」

そう思っていたんです。

そんな緊張を隠す日々を送っていた私ですが、学生時代のある日、肺に穴が空きました。

激痛が走り息が吸えなくなり、声が出せなくなったのです（「気胸」という病気でした）。

再発の可能性は約70％と言われ、「声が出せるうちに、人前で話せるようになりたい！」とそのときに強く強く感じました。


高校卒業直後に始めたアルバイトでは、人前で話す仕事を任されました。

「任されるほど認めてもらえたんだ！」と嬉しくて仕方なかったのを覚えています。

でも、私は大きなミスをしました。

緊張して手が震えすぎて、ステージの上でマイクを落としてしまったのです。

そのときの音は、今も脳裏にこびりついています。

緊張を克服したくて何年もがんばりました。

場数をこなせば緊張をなくせると信じて、何千回と人前で話しました。最高で1年に385本、人前で話す仕事をした年もありました。

過度なストレスを抱えていたからか、常に口内炎が5個くらいあって、家に帰ると訳もなく泣きじゃくり、暴飲暴食、嘔吐、下血……。そんな姿は絶対にバレないよう隠してきました。


できない自分が悔しくて、場数を踏めば明るい未来が待っていると信じていました。

でも、26歳のとき、病院でこう言われたのです。

「精神科へ行ってください」

さすがに、何かが間違っていたのだと受け止めるしかありませんでした。

心と体を壊しましたが、それでも諦められませんでした。

▼「緊張」を受け入れたら、話せるようになった！

緊張を克服することはできなかったから、「私は私なりに緊張と向き合ってみよう」と思いました。

緊張と戦うのではなく、ゆっくり時間をかけて受け入れることにしたのです。

緊張した状態で話すには、何をどうすればいいのか？

体に負担がかからないよう気をつけながら、少しずつ人前に出て、話して、コツコツと模索していきました。

何年もの月日がかかってしまいましたが、今では信じられないくらい話せるようになりました。

「話し方を教えてほしい」と言っていただくほど、人前で堂々と話せるようになりました。YouTube を見た人から結婚式の司会を頼まれたり、ＮＨＫのラジオなどでＭＣをすることもできました。

過酷な口内炎も、大泣きも、吐き気も下血もどんどんなくなっていきました。

そして、「緊張してもうまく話せる方法」を、私と同じような緊張しいの方々に届けるために講師活動を始め、話し方を教える会社も設立しました。

嬉しいことに、緊張しいな生徒さんから「緊張していても、話せるようになった！」という声をたくさんいただいています。


世の中には、緊張しいな人に向けた本や情報が溢れるほど出ています。

その多くが「緊張を克服しよう！」というコンセプトです。


私は緊張を克服することができませんでした。

緊張しいな自分を否定してばかりで、お伝えしたように心も体も壊してしまいました。

でも、そんな経験があったからこそ、緊張を受け入れて、緊張してもうまく話せる方法を模索し、生み出すことができたのです。

今では、緊張したまま話すことを楽しめるようになりました。

「緊張してもうまく話せる方法」は、このあとの本編で詳しくお伝えしていきます。

考え方や話し方など、私や生徒さんが実際に使っているノウハウを、50の習慣にまとめました。

最初から読み進めても、ざっと目次を見て気になる項目から読んでもOKです！

「へぇ～！」と感じる項目があったら、付箋を貼ったり、ページを折ったり、文章に線を引いたりして、ぜひ目印をつけてみてください♪

あなた自身が「へぇ～！」「こうすればいいのか！」などと感じた内容は、緊張する場面であなたの支えになってくれるはずです。


それでは、早速始めましょう！

丸山　久美子

目次

第2章　日常の行動編

第3章 話す準備編

第4章　話す内容編

第5章 話す技術編

第1章

マインド編

01 緊張しても うまく話せる人は緊張との付き合い方を身につけ、話せない人は克服しようと無理をする。

人間には防衛本能があります。

防衛本能とは、身の安全を守るため、生命を維持するため、無意識に作動する本能のことです。

緊張は、まさにこの防衛本能の一種です。

慣れない場所にいたり、慣れない人と関わったり、慣れないことへチャレンジしているときに、「もしかしたら危険が潜んでいるかもしれないよ！」と、体のいたる部分を緊張させて教えてくれているのです。

医学の世界では、「緊張は、交感神経が優位に働いている状態である」ともよく言われています。

しかし、これを知ったところで、緊張したときに交感神経を操れるかはまた別ですよね。

実際、私はどうしたらいいのかわかりませんでした。

そこで、次のようにもう少し柔らかく理解することにしたのです。

「人間には防衛本能というものがあって、命が危険にさらされないよう自分の本能が自分を守ってくれている。新しい場所などでチャレンジをするときは、防衛本能が『ちょっと待って！』と体のいたる部分を緊張させてサインを出している。

緊張は、自分を守ろうとしてくれているサインであり、味方。

だから、克服しなくていい。

『守ろうとしてくれてありがとう』と受け入れて、上手に付き合っていけばいい」

こう理解したことで、私は苦しみから解放されました。

帰りが遅い我が子に親が口うるさくなるのは、子供が危険な目に遭わないか心配しているからです。私は、学生時代、そういう親の存在が疎ましくて反抗ばかりしていました。心ない言葉を投げつけてたくさん親を傷つけてしまったし、そうしてしまう自分にも傷ついていたように思います。

でも、大人になった今は、親の気持ちがわかってきて、うまく付き合えるようになりました。

なんだか、緊張とよく似ている気がします。

緊張は悪いものではありません。むしろ味方です。

克服しなくていいのです。

上手に付き合う方法を探してください。

例えば、頭が真っ白になる人は、真っ白になる前に緊張を感じているはずです。

何か対応をしていますか？

きっと、そのまま放置しているはずです。

だから、体が「もっと緊張させなきゃ！」と緊張の強度を高め、何も考えられないよう頭を真っ白にするのです。

もっと早く、緊張を感じた段階で対応してみてください。

「緊張に気づいたよ。大丈夫だよ。周りに危険はないよ」と体に教えてあげるのです。あなた自身が、このように緊張とうまく付き合えるようになれば、防衛本能も安心して、弱まっていきます。頭が真っ白になることもなくなるのです。

緊張は、克服することを目指すのではなく、上手に付き合っていく習慣をつけましょう！

01 緊張してもうまく話せる人は、緊張を感じたら自分に「周りに危険はないよ」と言い聞かせる！

02 緊張しても うまく話せる人は多くの人が緊張すると知っていて、話せない人は自分だけが緊張すると思い込む。

２０２３年の３月、ＷＢＣ（野球の世界一決定戦）で日本は優勝しました。世界一をかけた９回表。たった１点差で日本がリードしている中ピッチャーとしてマウンドに上がった大谷翔平選手。あと１アウトで世界一です！

このシーンでバッターボックスに立ったのは、ＭＶＰを３度受賞しているメジャーリーグ最強打者、アメリカのキャプテンであるマイク・トラウト選手でした。

球史に刻まれる、映画以上にドラマチックな２人の対決を経て、日本は見事世界一に輝きました。

試合終了後、このシーンについて大谷選手は次のようにインタビューに答えています。

アナウンサー「試合の９回でマウンドにも上がりました。あのときどんな心境だったんでしょうか？」

大谷選手「本当に接戦のいいゲームで、最後ほんと緊張しましたけど、何とかおさえてよかったと思います」

大舞台で活躍する人や芸能人は、人前で緊張しないと思われがちです。

でも、同じ人間です。緊張しながら、がんばっているんですよね。

私も、「緊張しないでしょ」と言われることがあります。

「いいえ、緊張しますよ」と何度も本気で伝えても、「ウソだ〜！」と一切、信じようとしない人もいます。

実は、そういう人ほど**自分が誰よりも緊張しいだと思っていて、いつまでたっても話し方が上達しません。**

世の中にはたくさんの緊張しいな人がいます。

皆さん、緊張しながらもアレコレ工夫をして一生懸命に話しています。

自分だけでなく人も緊張すると理解している人は、緊張しながら話す人を見ると自分のことのように応援したり、尊敬の念を抱いたりします。

それだけでなく、どうしているのかを聞いて学ばせてもらったりします。同じ緊張しいな人の姿を励みに、自分も成長しようとアレコレ工夫をするのです。

しかし、**自分が誰よりも緊張しいだと思い込んでいる人は、他の人のがんばりや工夫に気づくことがありません。**気づけるセンサーを持っていないからです。

実は、私も自分が誰よりも緊張しいだと思っていました。人から学ぶどころか、「○○さんだからできるんだ」とひがむことが多かったです。

大きな失敗をして大恥をかくと、トラウマを抱え、話すことの自信がなくなって、また次の機会も失敗して、どんどん話すことを避けるようになっていきます。

そして、いつまでも「自分がいちばん緊張しいで、だから自分だけいつまでも失敗しているんだ」と思い込み続けるという何とも悲しいスパイラルを歩み続けるのです。

02 緊張してもうまく話せる人は、緊張している人から学び、成長しようとする！

毎日テレビで見ない日はない、あの明石家さんまさんでさえこう言っています。

「緊張する方が成功するんですよ。それだけ考えているということだから。真剣に取り組むそのエネルギーが出ていくんですよ。客席とか画面に。（中略）緊張している方がテレビ番組的には伝わるんですよ。それが大事ですね。緊張しないやつはダメ」

私は、誰かとお話しするとき、よくこう聞きます。

「人前で話すとき、緊張するタイプですか？」

8割以上の人が「はい」と答えます。

世の中のほとんどの人が緊張しいです。みんな、一緒です。

緊張しながらどう工夫して、どうがんばっているのか。学ばせていただく習慣をつけていきましょう！

03 緊張しても うまく話せる人は緊張をチャレンジの証拠ととらえ、話せない人は緊張を悪いものだととらえる。

緊張したくない。緊張をなくしたい。緊張しない人になりたい。
あなたは、そう思って本書を手にしてくれたかもしれません。

大切なことをお伝えします。
緊張は、なくさないでください。緊張しいなあなたのままでいてください。
なぜなら**「緊張はチャレンジの証拠」**だからです。

私は、32歳でこのことに気がつきました。
小学生の頃から緊張しいな自覚があり、それでも人前で堂々と話せるようになりたくて、必死で緊張しいな自分を隠しながら生きてきました。

ずっと、ずっと、「緊張したくない」「緊張をなくしたい」「緊張しない自分になりたい」と思ってきました。

場数を踏めば緊張しなくなると信じていたので、思い切って人前で話す仕事を始め、がむしゃらに場数を踏みまくりました。これまでに、3，000回以上は人前で話す仕事をしました。

どれほど緊張して足が震えても、噛んで恥をかいても、不甲斐ない自分に幻滅して泣いても、ひたすら場数を踏んだんです。

でも、緊張はなくなりませんでした。

それどころか、私は心も体も壊しました。

この時期は本当に辛かったです。

緊張すると、震えたり、吐いたり、眩暈がしたり……。がんばりたいのに体がついてこなくなりました。

家に帰ると理由もなく涙が出て、病院では精神科を紹介されました。お医者さんから

「人前で話す仕事から離れなさい」と言われたときはショックでした。

でも、今思えば、ここまで追い込まれたからこそ、緊張と正面から向き合うことができたのだと思います。「緊張って何なんだろう……」と、ゆっくり時間をかけて考えました。

「自信がないことへの劣等感？」「予測ができないことへの恐怖？」

「いつもは緊張せず過ごせるのに、人前に立つと緊張しちゃうんだよなぁ……」

この、「いつもは緊張しない」「人前だと緊張する」が大きなヒントになり、ついに気がつくことができたのです。

慣れた場所にいたり、慣れた人と過ごしたりしているときは、緊張せずに過ごせます。しかし、たまにしかないシーン、例えば「人前に立つ」となると緊張します。

とても単純な話でした。

慣れていないことをするとき、私たちは緊張するのではないでしょうか？

がむしゃらに場数を踏んでいた時期がまさにそうでした。その都度、新しい場所に行き、新しい人と出会い、話す内容も変わります。場数を踏んでも緊張し続けていた理由は、慣れないことにチャレンジし続けていたからだと気づきました。

「緊張するのは、チャレンジしている証拠だったんだ……！」

そう思えたとき、初めて温かい涙を流すことができました。

今年で41歳になりました。現在もなお、緊張しいな性格のままです。

でも、私は「緊張しながらチャレンジする自分は偉い！」と思えるようになりました。

緊張しいな人は、逃げずにチャレンジする人です。

ぜひ、あなたも自分のことを「偉い！」と褒めてあげてくださいね！

03 緊張してもうまく話せる人は、緊張する自分のことを認めて、褒められる！

04

緊張しても

うまく話せる人は「こうしよう！」と考え、話せない人は「どうしよう……」と怯える。

この本を出すまでに私に起こった出来事を紹介します。
私は、Hさんの紹介で、この本の担当者のTさんに会いにいきました。
Tさんに初めて会うということもあり、とても緊張しながら向かいました。

私には、緊張するととある妖怪が現れます。
その名も「妖怪 どうしよう」です。

「うまく話せなかったらどうしよう……」
「Tさんに嫌われたらどうしよう……」
「Hさんの顔を潰したらどうしよう……」

このように、「〇〇したらどうしよう……」という不安ばかりが頭に浮かぶのです。

以前の私はこの妖怪の存在を知らなかったので、取り憑かれていることに気づきもせず不安に振り回されていました。

でも、今は違います。

「〇〇したらどうしよう……」と感じている自分に気づいた瞬間「……また妖怪の仕業か！」と正気に戻れるようになりました。

この妖怪を追い払うには、**「どうしよう」ではなく「こうしよう」と考えること**がポイントです。

私は、緊張するだろうと思うことがあったら、事前に「具体的にこうしよう」ということを、考えてから臨むようにしています。

今回の打ち合わせでは、最初の15分の理想の流れを、メモに書いておきました。

次のようなイメージです。

①名刺交換をする
②打ち合わせへのお礼を伝える
③お土産を渡す
④プロフィール文を読んでもらう
※ここまでで15分が理想！

初対面の人と話すだけでも緊張します。出版社を訪問する道のりでも、きっと緊張するだろうと思っていました。だから、移動中にも見られるようメモを用意していたのです。

私は、緊張すると余計な話をしやすくなります。お相手の時間を無駄使いさせたくないので、もっとも緊張するであろう冒頭部分だけ理想形をメモに書いておきました。

このメモを事前に見ていたことで、緊張していても話すことができました。

せっかくのお話の機会、「どうしよう……」と不安に怯えて過ごすのはとてももったいないですよね。

「どうしよう……」ではなく「こうしよう！」とイメージしていくことで、不安な気持ちを和らげることができます。

1つひとつのシーンを具体的にイメージして、何ができるかを考える習慣をつけましょう！

04 緊張してもうまく話せる人は、緊張しそうな場面で何をするか、具体的にイメージする！

05 緊張しても
うまく話せる人はどう伝えようかを考え、
話せない人はどう思われるかを気にする。

「妖怪どうしよう」を撃退するには、「こうしよう！」と具体的にやることをイメージすると紹介しました。

もう１つ、効果的な撃退法があります。

それは、「**伝え方を考える**」ことです。

緊張して話せなくなる人は、「どう思われるか」を気にします。

「これを話そう、あれを話そう」と自分が話したいことをリストアップして、それを忘れないよう暗記します。そして、本番の出番がくるまでずっと、暗記漏れがないか、忘れていないかが気になって、手元の資料とにらめっこばかりしているのです。

このとき「どう伝えよう」という意識は一切ありません。

「暗記した内容を忘れたらどうしよう……」

「話すのがヘタな人だと思われたらどうしよう……」

このように、相手にどう思われるかばかりが気になります。


しかし、いくらアレコレ想像しても、実際に相手がどう思うかはわかりませんよね。

今まで何度か人前で話したことがある人は、過去の記憶を辿ってみてください。

人前で話したあと、聞いてくれた人たちに「私のこと、どう思いましたか？」なんて確認したことはありますか？

ほとんどの人が「ない」と答えるのではないでしょうか。

当たり前なことですが、相手がどう思うかは、相手にしかわかりません。

つまり、いくら想像しても答えは出ないのです。


答えのない問いへ不安を募らせて過ごすより、あなたにできることを考えてみましょ

う。

それが、「伝え方を考える」ことです。

伝え方とひとことで言っても実に奥が深く、様々な方法があります。

言葉遣い・例え方・数値化・グラフ化・ジェスチャー・資料のデザインなどなど……。

自分1人でできる伝え方の方法もあれば、聞き手を巻き込む方法もあります。

例えば、質問をする場合は、挙手をして答えてもらう方法や、話して答えてもらう方法があります。2人1組や複数人でグループを作り、ディスカッションをしてもらう方法もあります。

話し始める前に、ぜひ話を聞いてくれる人たちを思い浮かべてみてください。

あなたの話を聞いてくれる人たちがより理解できるようにするためには、どんな伝え方を組み合わせたらいいと思いますか？

「こう伝えたらわかりやすくなるかもしれない、こう伝えたら居心地よく過ごしてもらえるかもしれない」とイメージを膨らませてみましょう。

このように伝え方を考えることで、こうしたらわかりやすいかな？　と具体的にイメージが膨らみ、本番でもうまく話せるようになります。

伝え方を考えることは、あなたにできる最高のサービスです。

同じ時間を過ごすなら、答えのない問いに不安を募らせるより、今できる最高のサービスをしてみませんか？

05 緊張してもうまく話せる人は、話す前に「伝え方」を考える！

06 緊張しても うまく話せる人は劣等感を味わい、話せない人はコンプレックスを味わう。

「もっとこうすればよかった」「もっとああ言えばよかった」

人前で話し終わった後、このように落ち込むことはないですか？


6年ほど、Podcastで配信されている『今日もほめ達！』という番組のMCをさせていただいています。台本のないアドリブトーク番組です。

収録は毎週なので、落ち込んでいるタイミングでも、収録に挑まなければならないこともあります。「プロとして私情は挟まない！」と挑むべきかと思いきや、私の本音を素直にぶつけていいという珍しい形式の番組になっています。

収録の数日前、人前で話して自分の未熟さを痛感する出来事があり落ち込んでいたことがありました。「もっとこうすればよかった」と今ならわかるのに、話している最中に気づけなかった自分が悔しい！　と、収録中に嘆いたのです。

すると、共演者である、日本ほめる達人協会の理事長・西村貴好さんが、収録中に素敵なことを教えてくださいました。

「コンプレックスではなく、劣等感を味わえていることが素晴らしい！　劣等感は、自分を成長させてくれるんだよ！」

悔しくて嘆いたはずが、まさかの前向きなコメントをいただき、私は目を丸くしました。

劣等感は、自分の理想と今の自分の差に対して感じるものであり、コンプレックスは、人と自分を比べて自分の不出来さに対して感じるものだそうです。

西村さんいわく、「劣等感」と「コンプレックス」は似ているようで全然違うそうで、劣等感と向き合う人は成長できるらしいのです。

「劣等感は、自分と向き合っている証拠。だから、自分の成長のキッカケになるんだよ」

と、西村さんは教えてくださいました。

誰かと自分を比べて、自分のレベルの低さに気づいては落ち込む……。

そんな風にコンプレックスばかりで過ごしていると、どんどん自信がなくなります。

「私みたいな人間は、人前で話さない方がいいんじゃないの？」とも思えてきて、足がすくんで人前で話す勇気がもてなくなったりします。

でも、「まだ、理想とする自分に追いついていない……！」と、理想の自分との差に劣等感を味わうと、落ち込みはしますが、しばらくすると「次こそやってやる！」「どうすればできるようになるかな？」と前を向いていることが多いのです。

コンプレックスと劣等感は、似ているようで、全然違う。

このことを知ってからは、ふと自分が落ち込んだときに「コンプレックス？　劣等感？今の私はどっちで落ち込んでいる？」と、考えられるようになりました。

私の場合、思った以上に人と比べて嘆くクセがついていて、コンプレックスを感じて落ち込んでいることに気づきました。そのときは、「人と比べるのはやめよう。私はどんな風に話したかったんだっけ？」と自分の理想をイメージすることに頭を切り替えるようにしています。

人と比べるより、自分の理想と比べましょう。
コンプレックスより劣等感を味わうのです！

06 緊張してもうまく話せる人は、「人」ではなく「理想の自分」と比べる！

07 緊張しても

うまく話せる人は1つの失敗を次へ活かし、
話せない人は1つの失敗をいつまでも引きずる。

私のもとで話し方を4年間磨き続けているAさんという人がいます。

Aさんは、本当に人前で話すのが苦手な人でした。

自分が話す番になると、「えっと……えっと……」と言葉が出なくなったり、話せたとしても、内容がアチコチにとんでしまったり、制限時間があってもその範囲内では話せないことがほとんどでした。


Aさんは、よくこう言っていました。

「以前、結婚式で挨拶を任されたのに、頭が真っ白になって話せず大失敗をしたことがあって……。それがトラウマになって人前で話すのが苦手なんです……」

ご本人にとって、よほど辛かった記憶なのでしょう。

緊張しいな人ならば、Aさんのように過去に苦い経験をして、その記憶を引きずっている人は少なくないはずです。

しかし、一緒に練習をし始めて1年ほど経った頃からAさんは徐々に変わっていきました。トラウマを引きずるのではなく、「なぜあんなことが起こってしまったのか？」と、原因を考えるようになったのです。

この**原因を探す力こそ、緊張しても話せるようになるために必要不可欠なポイント**です。

Aさんは、トラウマになった失敗の記憶と向き合い、いくつもの原因を見つけました。

・台本を用意していなかったこと
・笑いを取ることばかりに目が向いて、趣旨がズレていたこと
・自分が人前でどのくらい緊張するのか、そのときどうなるか把握できていなかったこと

原因がわかれば「じゃあ、どうすればいいか」とアイデアを考えることができます。
このように失敗を活かすことで、また一歩進めるようになるのです。

私たちのような緊張しいな人は、慣れないことにチャレンジしていくタイプの人間です。

チャレンジに失敗はつきものです。
きっと、これからの人生でもたくさん失敗する機会があるでしょう。

失敗したら、気にしてもいいんです。傷ついたら痛がっていいんです。
ただし、そこで足を止めてしまうのだけはもったいないです。
傷ついた自分を放っておくのも可哀想です。

だから、こう思ってみるのはいかがでしょうか?
「失敗した分、傷ついた分、ただで転んでなるものか!」

失敗をしたら、しばらく落ち込んだっていいんです。

ただ、**失敗を引きずって生きていくより「ただで転んでなるものか！　この失敗は必ず次に活かしてやる！」と思えた方が、原因に目を向けられるようになります。**

解決策も考えられるようになります。傷ついても前に進めます。

結果的に、今よりもっと話せるようになって、理想の自分に近づくことができます。

Aさんは、今では話の構成を工夫したり、制限時間内に話せるようにもなりました。

もちろん、たまに失敗するときもありますし、落ち込むこともあります。

でも、「次こそはこう話してみよう」と、必ず這い上がってくるようになりました。

そんなAさんに、私や周りの人々は勇気や元気をもらっています。

07 緊張してもうまく話せる人は、失敗の原因に目を向ける！

08

緊張しても うまく話せる人はイレギュラーは起こるものだと考え、話せない人は想定通りにしか考えない。

ここで1つ、残念なお知らせがあります。

人前で話すために、どれほど念入りに準備をして、どれほどがんばって練習をしても、思った通りに話せることはほとんどありません。

ほぼ毎回、何かしらのイレギュラーが起こります。

私は、過去に3，000回以上のイベントで司会やMCをしてきました。

事前に打ち合わせもしますし、念入りに準備もします。何日もかけて練習をして、起こりうるリスクは先回りして、解決したり策を用意したりしておきます。

このように、毎回ありとあらゆる工夫をこらして綿密に準備して挑んできたことで、わかったことがあるのです。

99．999％、現実は思った通りにはいきません。

必ずといっていいほど、何かしら起こります。

いかに準備しても、いかに練習しても、です。


私は、このような現象のことを「ステージには魔物がいる」と言います。

私のもとに来る魔物は、よくマイクにイタズラをします。

リハーサルや準備の段階ではまったく問題なかったのに、いざ本番でスイッチを入れると音が入らない、雑音がする、うまく声を拾わないなどなど……「このままじゃ話せないよ！」という状態になってしまうのです（本当に迷惑だしやめてほしい……）。


魔物が現れたら「また来た！」と心で思いつつ、平然を装い、マイクを手放して地声で話すようにしています。

今でこそこうした対応ができるようになりましたが、最初は焦ってパニックを起こしていました。

「あれ!? マイクが入らない! どうしよう……!」

焦ってマイクを叩いたりしている内に、暗記したはずの話の内容を忘れてしまって頭が真っ白になったこともあります。

イレギュラーが起こったときに必要なのは、逃げずに1人で踏ん張る力です。

焦ることもあります。うまく言葉が出ないこともあります。

しかし、逃げずに踏ん張ることさえできれば何とかその場を繋いでやり過ごすことができます。

いざというときに踏ん張るためにも、あらかじめ「何かしら起こるんだろうな」と思っておくのです。心構えがあれば、いざそうなっても向き合うことができます。

反対に、心構えがなければ対応できず焦って終わってしまうのも想像がつきますよね。

ただし、緊張するシーンで「何かしら起こるんだろうな」と感じると不安になる人も多いと思います。そこで、オススメしたい方法が、このよくわからない現象のことを「魔物の仕業だ」と擬人化してとらえることです。

ちょっと可愛く思えたり、面白く感じたりしませんか？

緊張したときほど、思考が狭まり頭が固くなります。

ちょっとでも面白く思えたら、固くなった頭を柔らかくできた証拠です。ふざけた方法に感じるかもしれませんが、これも立派な工夫の１つです。

イレギュラーが起こっても「はいはい！　来た来た！　魔物さんですね！」と受け入れることができるようになりますよ♪

08
緊張してもうまく話せる人は、イレギュラーが起こることの心構えができている！

09 緊張しても うまく話せる人はやりたいかどうかで考え、話せない人はできるかどうかを気にする。

アニメ「進撃の巨人」の第10話で、上司であるピクシスが、新米部下であるエレンに新しい仕事への意気込みを確認するシーンがあります。

まだ経験が浅く自信がないエレンは「できるにしろできないにしろ無責任に答えるわけには……」と歯切れの悪い発言をしてしまいます。

このようなことは、現実でもよくありますよね。

新しくチャレンジすることに対して、できるかできないかを考えたとき「できないかもしれない……」と不安に感じるのは普通のことです。

今までやったことがない新しいチャレンジなのですから、自信が持てなくて当然です。

新しいチャレンジをするとき、大切にしてほしいことがあります。「できるかできないか」より、「やりたいかどうか」を考えることです。


セミナーの最後に質疑応答の時間を設けることがあります。

私のセミナーを受けてくださる方は、緊張しいな人ばかりです。大勢の参加者の前で質問するのは簡単なことではありません。

その気持ちがよくわかるからこそ、質疑応答の時間では必ずこう伝えています。

「うまく質問できるかどうかより、コレが気になっているから聞いてみたい！　という気持ちを優先させてチャレンジしてみてください」

すると、何人もの人が勇気を出して手を挙げ質問をしてくださいます。

中には、体も声も震えながら一生懸命に質問をしてくれる人もいます。言葉につまったり、質問したいことをうまく伝えられなかったり、緊張しすぎて泣き出す人もいます。

緊張しいな人にとって、大勢の前で質問することはそれほど大きなチャレンジなのです。

うまくできるかどうかを考えたら、とてもじゃないけど手は挙げられません。

でも、「気になることがある！　聞いてみたい！」という好奇心を優先させれば、思い切って手を挙げて話すことができるのです。


セミナー終了後に質問してくれた方々と話すと、皆さんこう言ってくださいます。

「すっごく緊張したけど、思い切って質問してよかったです！」


できるかできないかではなく、やってみたいという気持ちを優先させて一歩踏み出すと、今までとは違う景色が見えるものです。


ただし、必ずしも綺麗な景色が見えるとは限りません。

質疑応答も、回答する側の人の価値観によっては「もっとわかりやすく質問してください」と言われることもあるかもしれません。傷つくことだってあるかもしれません。

だからといって、できそうなことだけを選ぶ人生にはしないでください。

あなたが緊張しいな人ならば、本当のあなたはチャレンジ精神が旺盛な人です。

まだまだ成長したいと思っているはずです。

自信が持てなくて当然です。傷つくことだってあるかもしれません。

でも、あなたの中にある気持ちを無視しないであげてほしいのです。

自信をつけるのはそんなに簡単なことではないと、私たちがいちばんよく知っているはずです。できるかできないかを考えたら、言葉を発することさえ怖くなります。

みんな同じです。私だってそうです。

これから何かに迷ったときは、できるかできないかではなく、やりたいかどうかを考えてみましょう。きっと、今までよりも見える景色が色づくはずです。

09
緊張してもうまく話せる人は、自信より好奇心を優先する！

第2章

日常の行動編

10

緊張しても うまく話せる人は新しい習慣を増やし、話せない人はクセが出ないよう努力する。

クセとは、無意識についしてしまう言動のことです。

面白いもので、緊張して話すとその人特有のクセがあちこちから出てきます。

何度も何度も髪を触りながら話したり、「え〜と……」とか「あの〜……」と言ってしまうことが多かったり……心当たりのある方もいるのではないでしょうか。

リモート会議中に、鼻をすするクセがある人を見かけました。

きっと、ご本人は気づいていません。

他の人が話しているときは静かなのですが、自分が発言することになるとクセが発動し、鼻をすすり始めます。しかも、1分間に3回くらいという高頻度で鼻をすするのです。

いくら話の内容がよくても、途中で「ズビッ」「ズズズッ」と鼻をすする音が入ってくるので気になって仕方ありません(泣)。
意識して会議中に鼻をすする人はいないと思います。その人は、リモート会議でお会いする度に鼻をすするので、きっとクセなのでしょう。

クセを直すのは至難の業です。

例えば、先ほどの人に「鼻をすするクセを直しましょう」と伝えたら、きっと会議中に鼻をすすらないよう本人は気をつけると思います。
しかし、緊張するシーンではつい無意識にクセが発動する瞬間があります。鼻をすすった瞬間、ご本人は気づくはずです。そして「やばい！　すすっちゃった！」と焦ることでしょう。

1度焦ると負のループが始まります。焦って↓鼻が気になって↓焦って……を繰り返すうちに、どんどん集中力がなくなり、うまく話せなくなります。
もしかしたら、今まで鼻をすすって恥をかいてきたことや、直せないことへの劣等感、うまく話せない自覚などが重なって、人前で話すことが苦手になっていくかもしれません。

クセに気づいた以上、直したいと思う気持ちはわかります。

しかし、**クセが出ないよう一生懸命気をつけても、緊張した状態では、ふとした瞬間に出てしまう**ものなのです。

では、どうすればいいのでしょうか？

オススメは、**新しい習慣を身につけること**です。

例えば、私には、緊張すると髪を触りながら話すクセがありました。

触らないように努力しても、どうしてもつい本番中に触ってしまうことが多く、気づいた瞬間から負のループが始まります。「また触っちゃった！」と気になって、他のことまでミスをするようになりました。

そこで、別の方法を取り入れることにしたのです。

両手に、何かしらの物を持つことにしました。右手にマイク、左手にパリーポイントを操作するためのリモコンを持つことにしたのです。両手がふさがっているので、髪は触れません。

こうして、新しい習慣を身につけた結果、髪を触るクセをなくすことができました。

自分のクセがわからない人は、自分のことを録画・録音してみたり、信頼している人に聞いてみるといいでしょう。

自分のクセを知ることは、話し方を上達させるための大きなポイントとなります。

あなたには、どんなクセがありますか？

クセとはまったく異なる方法の、新しい習慣を考えてみましょう！

10 緊張してもうまく話せる人は、自分のクセに合わせて新しい習慣をつける！

11 緊張してもうまく話せる人は声を出して笑い、話せない人は口を開けず静かに笑う。

家でテレビや YouTube などを見ていて面白いシーンが流れたとき、あなたはどんな風に笑っていますか？

……え？　笑っていない!?

それは危険です！

今日からは面白いと感じたら笑ってください！

口角を上げてニヤリとするのではありません。

声を出して「あははは！」と笑うのです。「一人暮らしだから、1人で声を出して笑うなんておかしいでしょ」とかおっしゃらずに！

面白いと感じたら、ぜひ声を出して笑う習慣をつけてほしいのです。

中小企業にお勤めの若手社員Aさんから、このような相談を受けたことがあります。

「人と笑顔で話せるようになりたいんです。どうすればなれますか？」

Aさんと同じように、笑顔で話せるようになりたいと感じている人はとても多いようです。

私が運営しているYouTubeチャンネルでも「楽しそうに見える笑顔の作り方」というタイトルの動画がいちばん再生されています。

ウソっぽい表情ではなく、楽しそうな笑顔で話せるようになるためには、2つのポイントがあります。

1つ目は、**楽しいと感じる心があること**、

2つ目は、**声を出しながら笑えること**です。

社会で生きていると、なかなか自分の思い通りにはいきません。頻繁にストレスを感じ

たり、「腹が立つ」「嫌だなぁ……」と思うことも当然あるでしょう。

そして、毎日不満を感じてばかりいると、いつしか心は、楽しさを感じられなくなってしまうのです。「最近ぜんぜん笑ってないです」と言う人も、実際とても多いです。


だからまずは、**「楽しい」と感じる心を育てる習慣をつけてください。**

そこで役立つのが、テレビやYouTubeです。

意図的に、面白そうな番組や動画を狙って見てみてください。ニュースなどのネガティブな情報が多い番組は避けましょう。

面白い映像を見て、「楽しい」と感じる心を育てるのです。


そして、楽しさを感じられるようになったら、声を出して笑ってみましょう。

「あははは!」と笑うのです。

最初はぎこちない笑い声になると思いますが、問題ありません。

心が動いた瞬間に、笑顔を発動させ声が出せれば合格です。

私たち人間は、話すときには必ず口を開けて声を出しています。

だから、笑顔を練習するときも、口を開けて声を出さないと練習にならないのです。

よく、口を閉じて口角だけ上げた「ザ・作り笑顔」で練習する人がいますが、この練習をしても笑顔で話せるようにはなりません。

繰り返しになりますが、必ず口を開けて、声を出してください。

日常的に心と笑い声が連動できるようになると、緊張する場面でも楽しめたり笑って話せたりするようになります。

「ザ・作り笑顔」で口角がピクピクして冷や汗をかくよりも、ずっと過ごしやすくなりますよ！

11 緊張してもうまく話せる人は、普段から声を出して笑う！

12 緊張してもうまく話せる人はダメ元で聞き、話せない人は「断られるかも」と聞けない。

今、出張先のホテルにあるフリースペースにいます。

目の前には大きな窓があり、よく晴れた青空が見渡せて気持ちがいいです。

これから東京へ戻るのですが、チェックアウトのあと電車の時間まで2時間もあります。この付近はカフェなどの居場所がないので「2時間もどこでどう過ごせばいいんだ……」と困っていました。

そこで、ホテルの受付でこう聞いてみたのです。

「チェックアウトのあと、フリースペースをお借りすることは可能でしょうか?」

受付の人は「もちろんです! ご自由にご利用ください!」と快く答えてくださいました。

私は、こんな些細なことを聞くだけでも緊張します。

「もしかしたら、フリースペースにいさせてもらえるかもしれない。でも、断られたらどうしよう……」と、妖怪どうしようが現れるからです。

緊張を理由に逃げていた頃の私なら、断られたら嫌だからと聞かずに諦めていました。

でも、今は違います。

「ダメ元でいいから聞いてみよう！」と思えるようになったのです。


このフリースペースを使えるか使えないかは、ホテルの人が決めることです。私が判断することはできません。だからこそ、聞いてみなくてはわからないですよね。

このような場合は、聞いてみる以外に答えが出る方法はありません。


受付の人へ声をかけること自体ドキドキしますが、そんなときは、**声をかける前に頭の中でセリフを考える**のがオススメです。

出だしでオロオロしたくないので、私はひとこと目からセリフを作ります。

「すみませ～ん、ちょっと伺ってもいいですか？」

ここで、フリースペースを借りたい理由を述べたくなりますが、私の事情は相手に関係ありませんから、グッとこらえて……。まずは聞きたいことを伝えます。

「チェックアウトのあと、フリースペースをお借りすることは可能でしょうか？」

今回は、受付の人がすぐにOKと答えてくれました。

OKの場合は、ここで理由とお礼を伝えます。

「ありがとうございます！　実は、電車の時間まで2時間あって居場所に困っていたんです。とても助かります！」

受付の人は「そうでしたか！　ゆっくりご利用いただいて大丈夫ですよ！」と言ってくれました。

おかげで、こうしてゆったりした気分でこの項目を書けています。

相手が答えを決めることは、聞いてみなくちゃわかりません。

妖怪どうしようが行く手を阻みますが、「ダメ元で聞いてみよう」と思うことで退治で

きます。聞く前にセリフを考えればなおよしです♪

ダメ元で聞けるようになってわかったことがあります。

世の中は、想像以上に優しいということです。

困っていたら快く助けてくれる人が多いです。

ただ、聞く前から優しくしてもらうことを期待すると、逆の結果だったときに傷つきます。世の中色々な人がいますから、いいときもあれば、悪いときもあります。

だからこそ、期待はせずに「聞いてみなくちゃわからないから、ダメ元で聞いてみよう」と思うのがポイントです。

今まで聞けずに諦めていた人は、ぜひ次のチャンスにダメ元で聞いてみましょう！

12 緊張してもうまく話せる人は、「聞いてみないとわからない」ということを知っている！

13 緊張しても

うまく話せる人は店員さんにお礼を伝え、話せない人は店員さんに無言でお辞儀する。

最近、コンビニやスーパーではセルフレジが増えてきましたね。
人と話さずとも買い物ができる仕組みは、一見、緊張しいな人にとってありがたいものに感じますが、日常で人と話す機会が減っているともとらえることができます。

有人レジは、話す練習の場になります。
話せない人はこのようなコミュニケーションを取ります。

店員「いらっしゃいませ」
客「(無言で商品を置く)」
店員「袋はつけますか?」

客「（無言で首を振る）」
店員「700円です」
客「（無言でクレジットカードを差し出す）」
店員「レシートのお返しです。ありがとうございました」
客「（無言で軽く頭を下げて去る）」

一連の流れをこうして文字で書くと、いかに話せていないかがわかりますね。
日常で頻繁にある店員さんと話すシーンで、このようなコミュニケーションの取り方をしている人が、緊張するシーンで話せるわけがないのです。

日頃の積み重ねがいざというときの結果になります。
だからこそ、頻繁にある場を使って、少しずつ少しずつ練習をしていきましょう。

ぜひ、次のように話してみてください。

店員「いらっしゃいませ」

客　「お願いします（商品を置く）」
店員「袋はつけますか？」
客　「いいえ」
店員「700円です」
客　「クレジットカードでお願いします（クレジットカードを差し出す）」
店員「レシートのお返しです。ありがとうございました」
客　「ありがとうございました（去る）」

気の利いたことを言う必要はありません。

「お願いします」と伝え、店員さんから聞かれたことに答え、最後にお礼を伝えるだけです。

何となくありがとうと伝えるのではなく、心を込めて伝える練習もできます。

「（レジを担当してくれて、明るく接客してくれて、練習に付き合ってくれて）ありがとうございました」

このように思いながら伝えてみてください。

自然と、心を込めて話せるようにもなってきます。

見ず知らずの店員さんと話すのも、レジの後ろに並んでいる人に声を聞かれるのも緊張するかもしれません。私がまさにそういうタイプなので、気持ちはよくわかります。

しかし、緊張するからと言って、無言で接するのはいかがでしょうか？

そういうコミュニケーションの取り方は、あなたの理想の姿でしょうか？

きっと違いますよね。

ちょっとした勇気を出して、声を出して伝えてみてください。

有人レジを、話す練習の場としてとらえてみましょう。

たかがレジ、されどレジ、なのです。

13 緊張してもうまく話せる人は、レジでもしっかり声に出して伝える！

14 緊張してもうまく話せる人はミスを謝罪して修正し、話せない人は気づかれないよう誤魔化し続ける。

緊張するということは、慣れないことにチャレンジしているということです。

慣れていないことは、わからないことだらけです。

だからこそ、必ずミスは起こります。よかれと思ってやってみて、失敗することもあるでしょう。

私自身、自分がしたことで迷惑をかけたり、発言で傷つけてしまったときは、この世の終わりのごとく「自分はなんてことをしてしまったのだろう……」と申し訳なくなります。

そのように失敗やミスをしてしまったとき、あなたは「ごめんなさい」と言えているでしょうか。

全国各地で登壇させてもらっていると、様々なタイプの人に出会います。

私は有名人でもなければ、まだまだ知名度もありません。

登壇するセミナーを楽しみにしてくれる人ばかりではないのです。

むしろ「上司に言われたから参加する」という人の方が多い場で登壇しています。


初めて担当する企業研修では、遅刻者がいることは珍しくありません。

たとえ研修の担当者様が事前に遅刻をしないようアナウンスをしてくれていても、諸事情があったり、渋々参加したりする人もいるので、開始時間に全員が揃うケースは半分くらいです。

ほとんどの場合、1~2人ほど遅刻者がいます。


先日、某企業にてプレゼンの話し方について研修をさせていただきました。案の定、数名が遅刻をしました。

私は、遅刻者が入室するときは、目を合わせ、全体への話を止めるようにしました。

「ごめんなさい」と言えるタイミングを作るためです。
遅刻には様々な理由があると思います。謝ってほしいわけではありません。
「ごめんなさい」が言える人かどうかを見させていただきました。

なぜなら、**謝罪の言葉が言えない人ほど、緊張したときに話せなくなる**からです。
無言でペコッと頭を下げ、そそくさと席に着くタイプの人ほど、全員の前で話してもらうとアワアワするのです。

なぜだかわかりますか？

逃げるクセがついているからです。

プレゼンのみならず、人前で話すときには、ミスはつきものです。
慣れない場や、慣れない内容を話すシーンなら、なおさらです。
言い間違えたり、暗記していたことを忘れてしまう場合もあります。

そんなとき、逃げグセがついている人は、頭が真っ白になって話せなくなります。
自分のミスを受け入れて、謝罪する力がついていないからです。
誰かとの約束に遅刻したり、誰かとの仕事でミスをすることは仕方がありません。
私達は人間です。何もかも完璧にこなせるロボットではないのです。
ただ、日頃の小さなミスに蓋をすると逃げグセがついてしまいます。
小さなミスで逃げる人が、大きなミスに対応できるわけがありません。
もし、人前で話すときにミスをしたとしても
「失礼しました。間違えたので言い直します」と言えるかどうかだけなのです。
ミスと向き合う勇気も、ぜひ習慣化していきましょう！

14
緊張してもうまく話せる人は、ミスから逃げずに謝罪ができる！

15 緊張してもうまく話せる人は社長の名前も覚えて、話せない人は相手を役職だけで見る。

あなたは、名刺を受け取ったとき、真っ先にどこを見ますか？

私は肩書きに目が行きます。

あるセミナーに講師として登壇した際、こんなことがありました。

参加者の1人に、Aさんという方がいました。

Aさんは会場に入室した後、「上司にとりあえず行って来いと言われただけで、何のセミナーか知らずに来ました」と普通のテンションで話してくれました。私も「そうですか～」とフランクに返しながら、2、3分なごやかに会話をしました。

ところが、名刺交換をした途端、Aさんが異様に緊張し始めて言葉を発しなくなったのです。

あとあと理由を聞いてみたら、

「社長に向かって失礼な態度をとってしまい、申し訳なくなって、話せなくなりました……」と言われました。

私の名刺には「株式会社シャベリーズ　代表取締役　丸山久美子」と書いてあります。Aさんは肩書きを見て、「この人社長だったんだ！　失礼な態度を取ってしまった！」と青ざめたそうです。

相手が上役であればあるほど身が引き締まり、緊張が高まる気持ちはよくわかります。でも、**相手の役職によって、失礼か失礼でないかが変わるのはおかしい**ですよね。

たしかに役職の高い肩書きには威力がありますが、肩書きとは、社内での役割を示す記号のようなものです。

その会社がなくなれば肩書きもなくなるので、結局、最後に残るのはその人だけになります。

ぜひ、肩書きだけでなく、その人自身を示す名前にも目を向けてみましょう。

世の中には、役職を振りかざす人もいます。

その役職まで登りつめたことをひけらかしたい人もいれば、ブランディングの戦略として使っている人もいます。

様々なタイプの社長がいますが、相手がどんなタイプであれ、**役職だけでなく名前にも目を向け覚えましょう。そして、「社長」ではなく「○○社長」と名前を添えて呼ぶ習慣をつけてください。**

「社長」と呼ばれるのが好きではない人は、「○○さんでいいよ」と言ってくれます。そのときは萎縮せず、「○○さん」と呼んであげてください。

社長であっても1人の人間です。

距離を置かれるのが好きな社長もいれば、寂しく思う社長もいます。
ただ役職だけ見て萎縮するのではなく、役職＋名前まで見る習慣をつけましょう。
その上で、呼び方はお相手に合わせていくのがベストです。

15
緊張してもうまく話せる人は、役職＋名前まで目を向ける！

16 緊張しても うまく話せる人は新しい環境に飛び込む機会を作り、話せない人は慣れた人とだけ接する。

新しいチームでの業務、部署移動、転職……。

慣れていない人の輪に入るのは、緊張しいな私たちにとってハードルが高いことです。

ハードルが高いという理由で、その機会を極力作らないように生きている人もいます。

でも、そういう人ほど、人前に出ると緊張して話せなくなってしまいます。

私が学生の頃は、クラス替えの度に全員の前で自己紹介をする機会がありました。

大きな声でハキハキ話せる人は、部活やバイトをしている人ばかりでした。緊張せずに話せているように見えて、意外にも「緊張した〜！」と言っていました。

対して、声が小さくて聞こえなかったり、「えっと……その……」と言葉が出なくなってしまうタイプの人は、いつも1人で過ごしているか、同じ友達と同じような話ばかりしている印象の人たちでした。

いつも同じ人と話していると、会話のペースを掴めて、お互いに使う言葉も似てきます。何より、相手がどういう人かわかるので安心して話すことができます。

同じ人、慣れた人と話す方が、圧倒的に居心地がいいものです。こういう時間は、もちろん大切です。

しかし、この居心地のよさにどっぷり浸かってしまうと、外の世界へ出たときに苦労します。

慣れていない人と話すことになったとき、実感するはずです。

いつも使っている言葉が通じなかったり、敬語を使いこなす必要があったり……。

同じ日本語なのに、難しさや違和感を持つかもしれません。

話すスピードが違って疲れることもあるでしょう。

いつもより頭を使って、話の順番を丁寧に考える必要もあるかもしれません。

だからこそ、日常的に自分のテリトリーの外へ出る必要があります。

普段なら知り合えないであろう職種や価値観の人と話す機会を作るのです。


自分とは真逆の環境で生きている人と話すと、なお刺激的です。

例えば、あなたが接客業であれば、ＩＴ業界で働いているエンジニアの人と話してみる、あなたがエンジニアなら、保育士さんと話してみてもいいでしょう。

イベントに参加したり、友達に協力してもらうのもオススメです。


子供の頃は、否が応でも1年に1回はクラス替えという名のイベントがありました。

1年に1回は、強制的に、新しい人との出会いがあったわけです。

大人になるほど、強制的なイベントは、仕事でしか起こらなくなります。

しかも、仕事ですから、余計に失敗したくないですよね。

だからこそ、あえてプライベートで機会を作ることをオススメします。

月に1回、半年に1回、年に1回でも構いません。

「このくらいのスパンで、必ず1回は新しい環境に身を投じる！」と決めるのです。

「えいや！」と思い切って、強制的に、そして定期的に、自分を慣れていない人の輪に放り込んでいきましょう。


きっと毎回緊張すると思います。

でも、少しずつ、緊張しても話せるようになっていきます。

「以前より、緊張しても話せるようになったなぁ」と思えるようになりますので、ぜひ、慣れない人とも接する習慣をつけていきましょう！

16 緊張してもうまく話せる人は、新しい環境に定期的に飛び込む！

17

緊張してもうまく話せる人はわからないことは人にも聞き、話せない人は何が何でもネットで調べる。

「人には迷惑をかけないようにしたい」

緊張しいな人は、よくこう言います。

「ダメな人間と思われたくない」「迷惑をかけて嫌われたくない」といった思いが強いように感じます。

また、「わからないことはググれ」といった言葉があります。

「わからないことがあったら、人に聞く前にまずは自分でGoogleで検索をして調べましょう。それでもわからないときは人に聞いて教えてもらいましょう」という意味だと私はとらえています。

しかし、以前はこのような意味だと思っていました。

「わからないことがあったら、わかるまでGoogleで検索をして調べましょう。人に聞くのは迷惑行為なのでやめましょう」

例えば、初めて行く場所で道に迷ったとします。極度の緊張しいな人であれば、周りの人に聞くことはせず、ほぼ100%の確率でスマホを開き地図アプリなどで道を調べるはずです。

しかし、アプリが示す方へ進んでも、目的地に辿り着けないときもあると思います。

道だけではなく、ふとわからないことがあったとき。
プライベートのみならず、仕事でわからないことがあったとき。
選択肢は2つです。
人に聞くか、何が何でもネットで調べてどうにかしようとがんばるか。
あなたは、いつもどうしていますか?

ここで、お伝えしたいことが2つあります。

1つ目。

迷惑かどうかは、あなたが決めることではありません。

迷惑かどうかは、相手が決めることです。

2つ目。

人間は、助け合いながら生きていいのです。

例えば、もし、あなたが逆の立場になったらと想像してみてください。

「道を聞いてくるなんて、迷惑な人だ」と思うでしょうか?

道に困っている人が目の前にいたら、ただ、助けようと寄り添うのではないでしょうか?

たしかに、ここまでインターネットが普及した今、わからないことがあったらまずは自分で調べてみる姿勢は素晴らしいと思います。

しかし、インターネットに何もかもすべての正解が載っているわけではありません。仮に正解が載っていたとしても、膨大な情報の中から正解のページに辿りつけないこともあります。

緊張しいな人は、何もかも1人で抱えるクセがついている人が多いです。

私たちは、もう少し周りの人に頼ってもいいのではないでしょうか？

相手によっては、迷惑だと言う人もいるかもしれません。

しかし、私は道を聞くようになって初めて気がついたのですが、世の中の多くの人は想像以上に優しく親切に接してくれます。快く救いの手を差し伸べてくれます。

調べてもわからなかったら、人に聞く習慣をつけましょう。

教えてもらってもいいのです。

人間1人では生きていけないのですから。

17 緊張してもうまく話せる人は、調べてもわからなかったら人に聞く！

18 緊張してもうまく話せる人はテレビや動画から学び、話せない人は何も考えずにテレビや動画を見る。

ある研究によると、テレビを見ているときの人間の脳は「見る」「聞く」を司る部分は動きますが、「考える」を司る部分は血流が低下して極端に動きが鈍くなるそうです。
最近では、テレビではなくYouTubeやネットフリックスなどを見る人も増えていますが、いずれにしても、動画を見ているときの脳は、「考える」に関わる部分が極端に鈍くなるそうです。

何を伝えたいのかと言いますと、**無意識にテレビや動画を見ていると、考える力が弱くなってしまう**ということです。

緊張すると頭が真っ白になりやすい人がいます。
何も考えられなくなり、思考が停止してしまうのです。
このタイプの人は、日常的に考える時間が少ない状態で過ごしていることが多いように思います。

対して、緊張して頭が真っ白になりそうでも何とかこらえて話せる人は、その瞬間ありえないほどグルングルンと頭をフル回転させて考えることができます。
なぜなら、日常的に考える習慣をつけているからです。

緊張しても話せるようになるためには、日常的に考える習慣をつけることが必要です。
日常でできないことは、いざというときにもできるわけがないのですから。

では、どうすれば、日常的に考える時間を作れるのでしょうか?

そこでオススメしたいのが、テレビやYouTubeなどの動画を考えながら見ることです。

無意識に見るのではなく、あえて意識して考えながら見るのです。

私は、アニメ『進撃の巨人』が大好きです。

Amazonプライムで現在90話まで配信されていますが、8周見ました。

「同じアニメを8周も見るなんて信じられない！」とよく言われますが、私にはとても大切な考える時間になっています。好きなシーンを深堀りして考えるのです。

「なぜ好きだと思ったのか？」から始まり、そのときのキャラクターたちは、誰がどう立ち回っていたのかを分析します。

Amazonプライムですから、一時停止をしたり巻き戻すこともできます。気になるシーンのセリフを書き出して分析することもあります。

例えば、11話でピクシスというキャラクターが、部下に作戦を説明するときの話し方は秀逸でした！　伝える順番（構成）によって、わかりやすい説明になっています（マニアックすぎるので、詳しい内容は割愛します。笑）。

この他にも、年末に生放送しているＮＨＫの紅白歌合戦や、マツコ・デラックスさんや大泉洋さんが出演する番組からも、よく学ばせていただいています。

無意識に見るのではなく、好きなシーンがあったら「なぜそのシーンに惹かれたのか？」を考えてみてください。

「テレビは娯楽として見たい！　わざわざ考えるなんて面倒くさい！」という方ももちろんいると思いますが、毎時間でなくてもいいので、１日数分だけでも考えながら見る習慣をつけましょう。

日常的に考える力がつくことで、いざ緊張したときにも考えられるようになりますよ！

18 緊張してもうまく話せる人は、日常的に考える習慣をつけている！

19 緊張しても

うまく話せる人は応援してもらえる人と過ごし、話せない人は否定する人に囲まれている。

２０２３年現在、日本の人口は約１億２３００万人だそうです。

その中には、そもそも緊張をしない人がいたり、緊張することに対して否定的な人もいます。


人の数だけ、考え方があります。

「緊張なんて、弱者がするものだ。もっと強くなれ！」

「緊張なんて、暇人のすることだ！　もっと忙しく働け！」

など、緊張に対してアンチな考えの人もいるのが現実です。

意見は違えどお互い尊重し合えればいいのですが、中には己の意見が絶対に正しいと押し付けて、こちらの人間性まで否定してくる過激派もいます。

ある人に「緊張してる自分が可愛いだけだろ。くだらない」と言われたことがあります。私自身をくだらない人間だと否定されたように感じてショックでした。

反論したくもなりましたが、さらに否定されてショックが倍増するだけだと思ったので、「1億2300万人もいれば、こういう人もいるよね」と自分を納得させました。

もしかすると、この本を読んでいる人の中にも、過激派に人格否定をされた経験がある人がいるかもしれません。人格を否定をされるのは辛いですよね。

過去の経験を思い出して辛くなったり、今後そんなことを言われることがあったら、この言葉を思い出してください。

「世の中の、8割以上が緊張しい」

あなたの目の前に現れた過激派は、たった2割の緊張しない珍しい人です。ある意味レアキャラです！（ポケモンだったら、出現率2割ですからゲットしておきたいところです）

過激派は、人格否定という殺傷能力が高すぎる攻撃をしてきますから、そっと距離を取りましょう。

そして、**仲間を探す旅に出てください。**

世の中の8割以上は、あなたと同じ緊張しいな人です。

日本だけで考えても1億人近くはいます。

ただ、残念なことに、緊張しいな人ですら「緊張は悪いもの」と思い込んでいる人が多いです。そういう人ほど、緊張する自分はダメな人間だと思い込んでいます。だから、話す内容もネガティブになりがちです。

緊張してもうまく話せる人は、緊張に対しても、緊張する自分に対してもポジティブです。「緊張は、悪いものではない、慣れないことにチャレンジしている証拠！」と思っています。

そして、周りには応援してくれる人たちがいるのも特徴です。緊張しながら逃げずにがんばる姿を見て、「応援したい！」と思ってくれる人も、世の中にはたくさんいるのです。

緊張に対してアンチの人や、過激派たちのネガティブな言葉は、ときとして私たちの弱った心に深く深く刺さります。あなた1人でその傷を癒すのは難しいことでしょう。

緊張に対してポジティブな人たちと過ごす時間を、増やしてみてください。緊張しいなあなたを応援してくれる人たちと、過ごす時間を増やすのです。

そういう人と出会えなくて困ったら、私に会いに来てください。全国どこからでも来れるよう、無料で、オンラインで緊張しいな人たちとの場を作っています。

誰と付き合うか、どんな環境に身を置くかは、あなた自身が選んで決めるものです。緊張しながらがんばる自分に相応しい人と環境を、選んであげてくださいね！

19 緊張してもうまく話せる人は、自分を応援してくれる人たちと過ごす時間を増やす！

第3章

話す準備編

20 緊張しても
うまく話せる人は練習の時間も確保して、
話せない人は準備の時間だけ確保する。

「絶対に緊張するとわかっていたからこそ、事前に時間を作って準備したのに……全然うまく話せなかった……」

こうなってしまうのは、練習の時間を確保していないことが原因です。

例えば、30分間のプレゼンを任されたとしましょう。

当日を迎えるまで、あなたならどう過ごしますか？

話の内容や構成を考え、パワーポイントで資料を作り、台本も作るかもしれません。

ココからココまでを5分、ココからココまでを10分……と時間配分を決める人もいるかもしれません。人前に出るなら……と、服を選ぶこともあるでしょう。

そうこうしている内に当日が迫ってきます。

「パワーポイントを仕上げなきゃ！」と、夜な夜な資料作成に没頭したり、当日は、プレゼン直前まで台本や資料をチェックしているかもしれません。

ズバリ、聞きます。

練習はしないんですか？

準備をする時間はあったのにうまく話せなかった原因は、このように、練習の時間が取れていないことにあるのです。

仮に、「ココからココまでを5分」と決めて台本を準備をしていても、本当に5分で話せるかどうかはやってみないとわかりません。

頭で考えている5分と、声を出して話してみる5分はあまりにも違います。

早く話し終えてしまうかもしれないし、時間が余るかもしれません。

どのくらいのペースで話せば5分になるのかは、実際に声を出して時間を計ってみないとわからないのです。

もし、パワーポイントにアニメーションをたくさんつけるなら、アニメーションの数の分、操作しながら話す練習が必要です。

資料を作ることに一生懸命になりすぎて「資料を使って話すのは本番が初めて」という人はだいたい失敗します。

事前に練習すれば気づけるはずです。

30分話すためのパワーポイントのアニメーションのタイミングをすべて暗記することが、いかに至難の業であるか……！　緊張する本番では、さらに難易度が上がることも予想できるでしょう。

内容、構成、時間配分、資料作成、服装などなど、たしかに準備をすることは大切です。

しかし、これらの準備は練習がセットになって初めて意味があることを忘れないでください。

そして、緊張しても話せるようになるためには「準備＜練習」で過ごす習慣をつけましょう。

頭で考えて手を動かす準備に時間を費やすのではなく、声に出して練習する時間を多くしてください。

スポーツ選手をイメージするとわかりやすいと思います。

いくらバットやボールを磨いてピカピカにしても、いくら新しいユニフォームに身を包んでも、準備をするだけでは試合で活躍することはできません。実際に体を動かして、汗をかいて、やってみて、そして初めて試合で活躍できるのです。

「準備＜練習」

この配分で過ごせるかどうかで、結果は劇的に変わりますよ！

20 緊張してもうまく話せる人は、準備よりも練習の時間を確保する！

21

緊張しても うまく話せる人はイメージしながら練習し、話せない人は噛まずに読む練習をする。

前項では、練習時間を確保する大切さについて紹介しました。

でも、練習は「ただすればいい」というものではありません。

よくやってしまいがちな練習方法が、ひたすら台本を読むという方法です。

台本を声に出して読み上げる練習をすることを、私は略して「読み練」と言っています。読み練は、必ずした方がいいです。

しかし、読み練の仕方には注意をしてください。

読み練をする際、最初から最後まで駆け抜けるように、ただただ読んでいく人がいます。間もなければ、抑揚もありません。ただ、スラスラと噛まずに早口で読んでいくのです。

これは、現実とかけ離れた読み方なので、効果的な練習にはなりません。

練習中はスラスラ噛まずに読めて達成感があるかもしれませんが、いざ本番で緊張するとそうはいきません。スラスラ早口で読むクセがついてしまうため、本番でも早口になります。さらに、緊張と早口が重なると噛みやすくなるので、練習では言えていたはずの言葉でも、本番で噛んでしまうことが多々あるでしょう。

このように、スラスラ噛まずにただ読み上げていく練習は、本番で逆効果なのでオススメできません。

本番で緊張しても、練習通りに話せるようになりたいのなら、スラスラ噛まずに読もうとするのではなく、本番に近い状態で練習をしてください。

「本番ではきっとこのくらいだろうな……」とイメージしながら、その通りのスピード、間、抑揚で台本を声に出して読んでいくのです。

例えば、台本にこう書いてあったとします。

「当てはまる方は、手を挙げて教えてください。ありがとうございます」

このセリフを、本番をイメージしながら練習してみましょう。

あなたは立って話していて、目の前には10名ほどの社員がコの字に座って聞いています。そして、あなたから全員に尋ねます。「当てはまる方は、手を挙げて教えてください」

約半分の人が手を挙げてくれました。それを確認したあなたは、手を挙げてくれた人に向けてこう伝えます。「ありがとうございます」


このように、**自分や周りの人の様子をイメージしながら、台本に書いてある言葉を声に出して読む**のが、正しい読み練のやり方です。


リアルにイメージすればするほど、頭の中には動きも思い浮かぶはずです。

何人くらいが手を挙げてくれるか、どんな風に手を挙げてくれるか、それを確認する自分の様子はどんな風か……。

このように、誰がどんな風に動いているかまでイメージできると、本番に近い状態の練習になります。

「当てはまる方は手を挙げて教えてくださいありがとうございます」

とただスラスラ読むのではなく、

「当てはまる方は、手を挙げて教えてください。……（確認する間）ありがとうございます」

このように読み練ができていれば、本番で緊張しても練習の成果を発揮できます。

緊張しいな人であれば必ずと言っていいほど「噛まずに読む練習」をすると思います。

そこに、本番の様子をイメージすることもプラスしてみてください。

練習の精度がグッと高まりますよ！

21 緊張してもうまく話せる人は、本番の様子をイメージしながら練習する！

22 緊張しても うまく話せる人は話せない自分を想像して対策し、話せない人は想像すらしない。

「人生は思った通りになる」と言われることもあれば「人生は予想外の連続だ」と言われることもあります。

この2つは矛盾していますが、どちらも正解だと思います。

第1章でお伝えしたように、人前で話すときは、99.999%何かしらのイレギュラーが起こります。

どれほど念入りに準備をしても、その通りに進むことなどほぼありえません。

なぜなら、外的要因が関係するからです。

聞き手から思わぬ質問をされたり、予定していた人が来なかったり、逆に、予定していなかった人まで来ることもあります。他人が何を考えどう動くかは、フタを開けてみないとわかりません。他にも、電車が遅れる、プロジェクターが故障する、パワーポイントを操作するためのリモコンの電池が切れるなどなど……。

別の場所での出来事はコントロールできませんし、物の劣化に気づけないことも多々あります。

あなた以外の外的要因から起こるイレギュラーは、予想すること自体難しいものです。

しかし、あなた自身が起こしそうなイレギュラーはどうでしょう？

緊張することは、絶対に予想できますよね。

もっと具体的にイメージを膨らませてみましょう。

そのイメージの中で、あなたはどんな状態になっていますか？

もし資料を持ちながら立って話すシーンで、手が震えて資料まで揺れて困っているようなイメージが浮かぶなら……。手の震えへの対処方法を用意すればいいのです。

例えば、資料はバインダーに挟んで持つようにします。

ただ資料を紙に印刷して持っている状態だと、震えが目立つからです。

紙は柔らかいので、手の震えが伝わりやすくユラユラと揺れて目立ちます。手の震えに気づくだけならまだ耐えられるかもしれませんが、手が震えている上に持っている紙まで揺れてしまったら……不安と恐怖で頭がいっぱいになって話すどころではなくなります。

だから、手が震えても影響を受けにくい硬いバインダーを使うのです。


ただし、必ず事前に練習してくださいね！

私は、バインダーを持って話す練習をしていなかったがために、「本番で挟んでいる資料がうまくめくれず大パニックになった！」なんてことがありました。

バインダーを持って、立った状態で話してみましょう。声を出しながら、資料をめくるタイミングも練習してください。


こうして、練習をしているうちに、イメージする姿が変わってくるはずです。

最初は、手が震えて困ってうまく話せない自分の姿をイメージしていましたが、**対策を**

決めて練習を重ねていくと、緊張しても堂々と話せている自分の姿が浮かぶようになります。この状態になるまで練習するのが、成功への秘訣です。

外的要因から起こるイレギュラーは、予想もできませんし防ぐことも難しいです。しかし、自分のことなら話は別です。ましてや、私たちは「緊張するとだいたいいつもこうなる」と予測できるはずです。事前に対策を考えて練習もできます。

自分で起こしそうなイレギュラーは、予想もできるし防ぐことができます。

こうした自分のイレギュラーは、準備の段階でイメージしてみてください。もし、よくない状態しか思い浮かばなかったら、ただちに練習に取りかかりましょう。自分のことだけは、自分で何とかできるのですから。

22 緊張してもうまく話せる人は、イメージから対策する！

23 緊張してもうまく話せる人は聞き手の表情までイメージし、話せない人は自分の姿だけをイメージする。

本番の前夜、本番で緊張しながら話す自分の姿を想像して、眠れなくなってしまった経験がある人も多いのではないでしょうか。

そんな経験を私も何度となくしてきました。

眠れないことが気になると余計に目がさえますし、翌日のダメージにも繋がります。気分も体も頭の回転もイマイチ、最悪なコンディションで本番に挑むわけですからミスも起こるし、うまく話せず落ち込む……なんてことがよくありました。

眠れるように早起きしてみたり、ゆっくりお風呂に入ったり、難しい本を読んでみるなど色々な工夫をしましたが、結局ベッドに入って翌日のことを想像するとどうしても眠れませんでした。

そもそも、翌日の想像をしなければいいのでしょうが「想像するな！　考えるな！」と思っても、思考を停止することはできませんでした。

「どうせ眠れないなら、思いっきり想像してやる！」

悩んだ末、私は開き直ることにしたんです。

そこで、ある方法に辿りつきました。

緊張しながら話す自分の姿を想像すると、不安になってきます。

しかし、**話を聞いてくれる人の顔を想像すると「こう伝えた方がわかりやすいかも」と考えられるようになった**のです。

まず、頭の中で、会場全体をイメージします。

次に、席に座って私の話を聞いてくれる人たちをイメージします。

会場も人の顔も、実際と異なっても問題ありません。「こんな感じかな」程度で姿形をイメージしてください。

私が話し始めたとき、頭の中にいる聞き手の皆さんは顔を上げて聞いてくれないことがほとんどです。そのため、私は孤独を感じながら話す自分しかイメージできません。

そこで、聞き手の方々が思わず顔を上げて私の話を聞いてくれるよう、伝え方や立ち居振る舞いを練り直しては、頭の中でアレコレ試してみるのです。

そうすると、聞き手の方々が顔を上げて、私を見ながら話を聞いてくれるイメージに変わっていきます。

このような調子で、どんどんイメージしていくのです。

例えば、何かを説明するシーンなら「こう説明したら皆さんの表情はどうなるだろう？」とイメージしてみます。アクビをしたり居眠りしている人がいたらアウト！　私の伝え方を変えることができないかアレコレ考えて試してみます。

「うんうん」と頷いてくれる人がいたり、「なるほど！」と目を見開いている人がイメージできたらＯＫです！

このように、**聞いてくれる人の顔や様子もイメージすることで、自分の伝え方や立ち居振る舞いへのヒントが見つかったりもします。**

どうせ眠れないのなら、失敗しそうな自分の姿を想像して不安だらけで過ごすより、聞き手の方々が納得してくれている様子を想像しながら過ごす方が、よっぽど楽しく充実した時間になります。

もし、これから眠れない夜があったら、聞き手の姿を想像してみてください。

「うんうん」「なるほど」と、頭の中の聞き手の表情が変わるよう、伝え方を模索してみましょう（いつの間にか寝ているかもしれませんが……それはそれで眠れたからＯＫにしましょう！笑）。

23 緊張してもうまく話せる人は、聞き手をイメージして伝え方を考える！

24

緊張してもうまく話せる人は前夜には準備を整え、話せない人は当日の朝に慌てて準備する。

人前で話す当日の朝は、何かとソワソワしがちです。

いつもより寝ぐせが気になって直すのに時間がかかったり、服にシワがついていてアイロンをかけたり、お腹が痛くなって何度もトイレに行くこともあるでしょう。

緊張するのですから、当然です。

そう、当日ソワソワすることも、いつもより時間がかかることも、お腹が痛くなることだって、すべて当然のことなのです。

「寝ぐせが気になる！　直す時間あるかな……!?」

「お腹が痛い……トイレへ行ってたら出発に間に合わないかも……」

こんな風に、**何か1つ起こる度に焦っていると、緊張感が高まってどんどん心の余裕がなくなっていきます。**

ただでさえソワソワする当日の朝、自分で自分の緊張感を高めてしまうのは危険です。本番までにクタクタに疲れてしまいます。


私もよく、自分で自分を疲れさせていました。

過敏性腸症候群という、緊張するとお腹が痛くなりやすい体質なので、家を出る前にも、移動中にも、会場へ着いたときにも、本番直前にも、お恥ずかしい話ですがトイレへ行きたくなります。

そのせいで家を出る時間が遅れたり、電車を途中で降りてトイレを探し回ったりして、いつも本番前にクタクタになっていました。お腹が痛くなる自分が嫌で仕方ありませんでした。


でも……よくよく考えたら、何も特別なことではなかったのです。

私にとって、緊張するとお腹が痛くなるのは、いつものことです。

小学生の頃から、ずっとこうです。

その日だけの特別なことではありませんでした。

私にとっては「毎回こうなる」と言い切れるほど、いつものことだったのです。


だから、トイレへ行くことを前提に、朝のスケジュールを立てることにしました。

例えば、前夜にホームにトイレがある途中駅を調べたり、目的地周辺のビルのトイレの位置を調べたりします。当日の朝「トイレどこ!?」と焦らないよう、数か所だけでも道中のトイレをインプットしておくのです。

家を出る前にもお腹が痛くなりますから、いつもより1時間以上は早く起きます。


トイレ対策の他にも、朝起きて何を着ようか悩まないよう靴下も服も、一式決めて用意します。家をスムーズに出られるよう、玄関にすべての荷物を置き、履いていく靴も出しておきます。

これらの準備を前夜にしておくのです。

緊張する日の朝は、いつもより気になることが増えたり、ソワソワします。
それらに対応するために、朝はいつもよりプラスアルファで時間が必要になります。
だからこそ、**前夜にできる限りの準備はしてしまった方が安心できる**のです。

あなたは、緊張する日の朝はどんなことが気になりますか？
それに対応するためには、前夜にどこまで準備をしておけば安心でしょうか？

自分に合った準備の流れを、ぜひこの機会に考えてみましょう！

24 緊張してもうまく話せる人は、前夜までにできる限りの準備をする！

25 緊張しても うまく話せる人は自分が見やすい時計を用意して、話せない人はアナログ式の腕時計をする。

あなたが担当するプレゼンの持ち時間が、15分間だとします。

午後の1時47分から話し始めた場合、持ち時間は2時2分までですよね。

決して難しくない問題ですが、緊張するとこんな簡単な計算すらできなくなります。


時間を管理するためには、必ず時計を使いますが、あなたは緊張するシーンでどんな時計を使っていますか？

多くの人は、長針と短針で時間を示す「アナログ式の腕時計」と答えることでしょう。

特に深い理由はなく、いつも身につけている時計だからという理由でアナログ式の腕時計を使っている人が多いはずです。

実は、そこに落とし穴があります。

いつも身につけている時計だからといって、緊張するときにも役立つかと言うと、そうではないのです。

特に、**アナログ式の腕時計はミスを招きやすいので気をつけてください。**

先ほど簡単にできた「1時47分から15分後は、2時2分」という計算ですら、緊張した状態だと、アナログ式の腕時計では見てもパッと計算できない場合があります。

仮に計算できたとしても、話をしているうちに「あれ？　何分までだったっけ？」と終了時間を忘れてしまうこともあります。「あと何分だろう？」と残り時間を知りたくても、計算に困ることもあります。話すことに夢中になって、時間を確認できないままオーバーしてしまう人もいたり、気にしすぎて何度も何度も腕時計を見てしまう人もいます。

とにもかくにも、緊張しながらアナログ式の腕時計を使いこなすのは至難の業といっても過言ではありません。

ぜひ、この機会に、緊張しても使いやすい時計はどんな時計かを考えてみてください。

ちなみに私は、デジタル式の卓上時計を愛用しています。

オンラインスクールの生徒さんの中には、スマホのタイマーや、パソコンの時計や、パワーポイントの画面の時計を愛用している人もいます。

自分が緊張したとき、パッと見て時間を把握できる時計がオススメです。

どうしても腕時計しか持ち込めない場合は、デジタル式の腕時計にしたり、アナログ式の腕時計しかない場合は、腕から外して見えやすい位置に置くのがオススメです。

緊張すると、針が示す時間が読み取れなくなったり、持ち時間の足し算や引き算の計算ミスを起こしやすくなります。

結果的に時間管理がうまくできず、時間を超過したり、「気づいたらあと1分しかない！」なんて事態が起こるのです。

緊張のせいで時間管理ができないのではありません。

あなたの時間管理能力が低いわけでもありません。


ただ、緊張した自分に合う時計を使えていないだけです。

時計によって結果が変わることを知らなかっただけなのです。


人前で話すときは、緊張しても見やすい時計を用意しましょう！

パッと見て時間が把握できるだけでも、かなり楽になるはずです。

緊張しながらがんばる自分の負担を減らしてあげるためにも、ぜひこの機会に時計を見直してみてくださいね！

25 緊張してもうまく話せる人は、緊張しても見やすい時計を使う！

26 緊張しても
うまく話せる人は本番前に1人の時間を作り、
話せない人は周りに流され時間を過ごす。

重要な会議やプレゼンの前、会場内の空気がピーンと張り詰めることがありますよね。

あの空気を吸っていると必要以上に緊張感が高まりませんか？


まともに息ができない、できることなら外に出たい、でも外に出たって行く場所がないし……と、結局そのまま我慢して、ますます緊張していきます。

お喋り好きな人につかまることもあるでしょう。

本当は、このあと話す内容を見直したり、静かに精神統一をしたいのに、話しかけられて自分の準備がそっちのけになってしまうこともあります。


緊張しいな私たちにとって、1人の時間は必須です！

1人の時間を作ることで、本番直前に浮かぶイメージを確認することができます。

うまく話せている自分の姿が浮かべば大丈夫です。

でも、もし不安を感じる部分があったら、このタイミングでしっかり向き合って「大丈夫！」と思えるように整えましょう。

フィギュアスケートの大会では、演技に挑む前に多くの選手が、耳にイヤホンを付け外部からの音を遮断し、ストレッチをしたり演技の動き方のチェックをしたりしています。毎日血のにじむような練習を重ねている選手たちでさえ、本番前には1人になる時間が必要なのです。

喫煙者の人たちを見ていると「一服してきま～す」と席を外すのが上手に思います。タバコを理由に休憩時間を設けることには賛否両論あると思いますが、私から見ると、喫煙者の方々は1人の時間を作るのが上手な人が多いです。

だから、同じように「○○してきま～す」と伝えて席を外すことがオススメです。

私がよく使っている3つの方法を、次にご紹介します。

①「飲み物を買ってきま〜す」

近くに自動販売機やコンビニがあるときに使いやすい方法です。

この方法にはコツがあります。買いに行って帰ってくる移動時間を、有効活用することです。

台本を持って出発しエレベーターで内容をチェックする、歩きながら小声でセリフを言って口慣らしするなど、移動時間も上手に活用しましょう。

②「お手洗いへ行ってきま〜す」

人によっては、この言葉を口にするのは恥ずかしくてできないかもしれませんが、私がいちばん使う方法なので紹介します。

私は過敏性腸症候群なので本当にトイレが必要になる場合が多いですが、トイレに行く必要がなくてもあえてトイレへ行くようにしています。個室に入って精神統一をするためです。目を閉じて深呼吸をしたり、両手を広げて心の中で「ドーンと来い！」と言い聞かせて気合いを入れたりもしています。

③「精神統一してきます！」

素直にこう言える人は、ぜひありのままを伝えて1人の時間を確保しましょう！

こう言える関係性の人たちと過ごせているのは、とてもありがたいことですよね。

1人にさせてくれるのは、応援してくれている証拠です。周りの方々へ感謝をしつつ、しっかり精神統一しましょう！

どうしても周りに合わせてしまう性格だったり、合わせなければならない場合もあると思います。それが悪いと言いたいわけではありません。ただ、そうなるとわかっていたら、会場に着く前にカフェへ寄るなどして1人の時間を作るようにしてください。

他にも1人の時間の作り方には色々な方法があると思います。

ぜひ、あなたに合う方法を見つけて、チャレンジへ挑む前に実践していきましょう！

26 緊張してもうまく話せる人は、本番前に1人になる！

27 緊張しても うまく話せる人は出番の前から声を出し、話せない人は出番が来てから声を出す。

あなたは、緊張すると声が震える、または小さくなる人ですか？

心の中で「はい、そうです！」とお返事した人は、次の方法を試してみてください！

それは、**出番の前から声を出す**という方法です。

まず、挨拶で声をしっかり出してみましょう。

大きな声を出してもいい場であれば、扉を開けた瞬間に深く息を吸って「失礼します、お疲れ様です！」など、会場全体に聞こえるほどの大きな声で挨拶します。

「そんなに大きな声は恥ずかしくて出せない！」と感じたり、出せる場ではない場合は、1対1での挨拶でも大丈夫です。「お疲れ様です！」とか「こんにちは！」など、その場にいる人へしっかりと声を出して挨拶しましょう。

会議で発言する役割があり緊張していたら、早めに会議室へ向かいましょう。そして、入室してくる1人ひとりへ「お疲れ様です！」と挨拶をするのです。

声が震えたり小さくなる原因の1つに、準備運動ができていないことが挙げられます。準備運動としては、腹式呼吸や発声練習ができれば最高ですが、実際に時間と場所を確保してこれらをやるのは難しいものです。

それに比べ挨拶なら、自然な流れでできますし、実際に声を出せるので準備運動にもってこい！　きちんと挨拶する人は好印象ですから、一石二鳥でもあります。

何となく挨拶をするのではなく、準備運動として次のことを意識してください。

- **1つひとつの言葉をハキハキと言う**
- **語尾までしっかり言う**
- **相手に聞こえる大きさの声を出す**

社内だけでなく、社外でもできます。

例えば、取引先へ訪問し商談するときに緊張しているとしましょう。

受付の人への挨拶からスタートです。

「3時に○○様とお約束している△△と申します。○○様へお繋ぎいただけますか？」

お茶を出していただいたときもチャンスです。

「ありがとうございます！　いただきます！」

名刺交換のときも同じようにチャンスです。

「初めまして！　株式会社●●の△△と申します」


ハキハキと語尾までしっかり相手に聞こえる声で、言うように意識します。

商談の前に**声が出せるシーンは、すべて準備運動として活用する**のです。

訪問先の受付で話すことさえ、緊張して声が震えるという人もいると思います。

その場合は、訪問先へ直行するのではなく、道中で準備運動できるタイミングが作れないかを探してみてください。

例えば、コンビニで買い物をすれば、レジの人と話せます。エレベーターで降りるときに誰かが扉のボタンを押してくれていたら、その人へお礼が言えます。電車で降りるとき前に人がいたら、声をかけることができます。お店でランチを食べれば、店員さんと話せます。

声を出さずに過ごせるシーンでも、あえて声を出すことを習慣づけるのです。

そうすれば、出番の前にいくらでも声を出して準備運動ができるようになります。

出番で出したい声と、同じくらいハキハキと、同じくらいの大きさで事前に声を出して体を慣らしておきましょう。いざ緊張しても、声が出やすくなりますよ！

27 緊張してもうまく話せる人は、声を出すための準備運動をする！

28

緊張しても うまく話せる人は話す前に大きく息を吸い、話せない人は呼吸を整えない。

「初対面の人と会うのは緊張する」そう感じる人は多いはずです。

私も例にもれず、初対面の人と会うときは100％緊張します。


緊張すると呼吸が浅くなります。

体が酸欠状態になるので、頭が動きにくくなったり声が出しにくくなったりします。

頭が真っ白になりやすい人や声が震えやすい人は、まさに酸欠状態になっている可能性が高いです。

また、緊張しているときは、体内にある自立神経の交感神経と呼ばれる神経が活発になります。この神経を鎮めるためには、もう1つの自律神経である副交感神経を動かす必要があります。

副交感神経を動かすためには、**深呼吸**がとても効果的です。


このような知識があっても、深呼吸ができずに失敗した経験があります。

以前、尊敬する実業家の方と、お話をさせていただける機会がありました。先方の会議室の外にある椅子に座り、そのときが来るのを待っていました。

お会いするのはその日が初めてで、とても緊張しました。

体は小刻みに震え、指先は冷たくなり、鼓動は激しくなるばかりで、胸元を見ると自分の鼓動に合わせて服が揺れています。それを見て余計に焦りました。さらに体の芯から震えを感じ、不安が最高潮に達したその瞬間、名前を呼ばれて面談が始まりました。


ずっと会いたかった人でした。

いつかお話ししてみたいと思っていた人でした。

でも、残念ながら、私は思ったように話すことができませんでした。


頭が働かず、失礼な発言をしてしまったのを今も覚えています。

声を出したくても、震えて言葉にできませんでした。

悔しくて情けなくて、何より申し訳なくて、会議室を出たのと同時に涙がこぼれました。


今思えば、そんな事態になった原因がわかります。

ほとんど息ができていなかったのです。


外の椅子で待機している間ずっと、最低限の呼吸しかできていませんでした。

「酸欠状態だよ！　深呼吸して！」と体は教えてくれていました。震えや、冷えや、鼓動で、何度も何度も体はサインを出してくれていました。

しかし、私はそのサインを上手に受け止められていなかったのです。


緊張して何かしら体からのサインを感じたら、まず、深呼吸をしてみてください。

4秒ほどかけて大きく息を吸ってみるのです。

いかに自分の呼吸が浅くなっているかを実感するはずです。

毎回毎回、続けてみてください。

ふとしたときに、無意識で深呼吸しているあなたがいるはずです。

私はジムに通っているのですが、そのジムは予約した日によって担当トレーナーさんが変わります。つまり、通っているうちに何度も初めましての状況が生まれるわけです。

先日、初めてのトレーナーさんに会うタイミングがありました。

ジムへ向かうエレベーターに乗りこみ「緊張するなぁ」と考えていたとき……私は、無意識に深呼吸をしていました。

これに気づいたとき、「深呼吸が習慣化できている証拠だ！」と嬉しくなりました。

緊張して酸欠状態になっていた私ができたのですから、あなたにもできるはずです。

無意識に深呼吸ができるようになると、緊張しても話せるようになっていきますよ！

28 緊張してもうまく話せる人は、深呼吸を習慣化している！

29

緊張しても うまく話せる人は話しながらマイクを確認し、話せない人は叩いてマイクの確認をする。

あなたは、人前でマイクを使って挨拶をすることになりました。

「このマイク、音は入っているかな？」と思ったとき、あなたならどうやって確認しますか？

私は3，000回以上のイベントで司会やMCをしてきたので、様々な人がマイクを使って話すのを間近で見てきました。多くの人がNGな方法でマイクをチェックしています。

それは、ボンボンとマイクを叩く方法です。

考えてみてほしいのです。

そのマイクは、誰の物でしょうか？

会場の大切な備品かもしれませんし、音響会社さんが貸し出している大切な機材かもしれません。

あなたが物を貸し出す側になったら、とも考えてみてほしいです。

旅行先で、誰かに写真の撮影をお願いしてスマホを預けたとしましょう。もし、スマホがちゃんと起動しているかを確かめるためにボンボンと叩かれたら、「何するの⁉」と感じるのではないでしょうか。

人の物を自分のために叩くなんて、冷静に考えたらNGだとわかります。

しかし、**人前で緊張するとそこまで頭が回らなくて、無意識に人の物を粗末に扱ってしまうのです。**

これを、「緊張しているから仕方ない」「頭が回らないから仕方ない」と片付けてはいけません。

人の物を粗末に扱うクセがついてしまうと、自分のことはもっと粗末になります。

物すら丁寧に扱うことができない人が、人と丁寧に向き合えるわけがないのです。緊張するときこそ、身近な物から、意識して向き合っていきましょう。

マイクは貸していただいている物です。
マイクがあるから声を全体に届けられます。そう思えたら、感謝の気持ちが生まれます。扱い方が変わるはずです。

叩くのではなく、話しながらマイクの音量を確認してみましょう。

できれば、そのときに何を言うのかも意識したいです。
よくある言葉が「あーあー」なのですが、これも少し残念に思います。
50音の中でいちばん声にしやすい言葉は「あ」です。緊張しているときにも「あー」なら言いやすいわけです。
何も考えずに発している言葉なので、ここも意識して発言してみましょう。

私は、こう言うように意識しています。

「マイクの音量をチェックさせてください。いちばん後ろの皆さん、聞こえますか?」

このように、マイクチェックに付き合ってくださる方々へ、話しかけるように意識しています。

話しかけることでコミュニケーションが生まれます。

「聞こえてます!」と声で教えてくれる人や、手で大きな丸を作って教えてくれる人。うんうんと頷いて教えてくれる人がいることもあります。

教えていただけてありがたいな……と感謝の気持ちが生まれます。すると、**緊張していても、心を込めて話せるようになる**のです。

今後、マイクを使って話す機会があったら、叩くのではなく話しながらチェックをしてみてください。あなたの声に耳を傾けてくれている人の存在に気づけるはずです。

29

緊張してもうまく話せる人は、マイクチェックでコミュニケーションを取る!

30 緊張しても

うまく話せる人は話している自分を録画して、
話せない人は話している自分を見ることを拒む。

私は安室奈美恵さんの大ファンです。ライブには通算で１００回近く足を運び、彼女がライブに込めてくれるパワーを浴び続けてきました。

２０１８年に引退されるまで、日本の歌姫として25年間パフォーマンスし続けてきた安室奈美恵さん。

そんな安室さんは、自分のことを緊張しやすい性格だと言っていました。

時代を築いたトップアーティストも、１人の人間です。

２０１７年12月31日。最後の出演となったＮＨＫの紅白歌合戦でも、かなり緊張していたようです。何度も呼吸を整えながらインタビューに応じ、歌い終わった直後には手を震わせながら泣いていました。

安室さんは、ライブが終わる度に録画した動画を見て自分の歌やダンスを振り返っていたそうです。ドキュメンタリー番組でもその様子が放送されていました。

それを知って、私も自分を録画してみたのですが……話している自分の姿を見てみると、「何これ！　気持ち悪い！」というのが正直な感想でした。

当時、私は既にイベントのMCとして人前で話す仕事をしていました。こんな気持ち悪い声で、こんな気持ち悪い笑顔で話していたのかと絶望したのを覚えています。

そして、「こんな自分はイヤだ！」と強く強く感じました。もし、そこで「もう見たくない」と目を背けていたら、成長できなかったと思います。当時の自分のままだったら、今よりも絶対に、お仕事の依頼は少なかったことでしょう。

自分の声が気持ち悪いと思うなら、心地よい声が出せるよう訓練すればいいのです。

笑顔が気持ち悪いと思うなら、自然に笑えるよう、表情筋と心を育めばいいのです。

少しずつですが、自分が気持ち悪いと感じる部分と向き合って改善してきました。

今では、自分の声が好きです。自分の笑顔も大好きです。自分が爆笑しながら話している動画を見て、つられて笑うことさえ起こるようになりました（笑）。

私が教えている生徒さんたちには、自分が話している姿を録画して見てもらっています。「気持ち悪いと思いました」「こんななんだとショックでした」、最初はほとんどの人がそう言います。

いいんです。

それが今の現実です。

心が折れないようしっかりサポートしながら、現実を受け止めていただいています。

教えていてわかったのですが、**初めて録画で自分の話す姿を見たときに、強い嫌悪感を持った人の方が上達しやすいです。**「ここが嫌だ」「理想とこんなに違う」と明確に把握することができるので、改善しやすいのです。

最初は嫌悪感に押しつぶされそうになっていた生徒さんも、しばらくすると「本番中は話せていない気がしていたけど、録画を見たら思ったより話せていて自信がつきました」と言うようになります。

「自分が話している姿なんか見たくない」と思う人もいるかもしれません。
でも、そのままでは現実が把握できません。
改善もできません。自信がつくはずもありません。

スマホで簡単に自撮りができる時代です。
「1分で自己紹介をする」などテーマを設けて、自分が話す姿を1回録画してみませんか？

30
緊張してもうまく話せる人は、今の自分と向き合って、改善していく！

第4章

話す内容編

31 緊張しても
うまく話せる人はダイエット思考で、
話せない人はメタボ思考。

私は、毎月2回、Zoomを使って即興スピーチ練習会を開催しています。その場でお題を発表して、画面にタイマーを表示させながら、1人1分ずつスピーチをしていくイベントです。

先日は、7名が練習に参加しました。興味本位で全員の1分スピーチを文字に起こしてみたところ、面白いことがわかりました。

話をうまくまとめる人と、まとめられず制限時間を超えてしまいやすい人とでは、1分で話す文字数や内容に違いがあったのです。

例えば、いちばんうまく話をまとめることができたAさんは、1分間に話した文字数は231文字でした。1つの内容について、SDS法で話していました。

ＳＤＳ法とは話の構成方法のことです。Summary（概要）→Detail（詳細）→Summary（概要）の順で話すため、それぞれの頭文字を取ってＳＤＳ法と呼ばれています。

対して、途中で慌てて最後でも慌てて話し終えたＢさんは、３３０文字。内容は、思いつくままにアレやコレやと話が広がり、１分間に４つの内容に触れていました。短い時間の中で話が変わっていくため、話を聞きながら、今は何の話をしているのかわからなくなる瞬間が２回ほどありました。

ＡさんもＢさんも、どちらも緊張していたようです。

しかし、Ａさんの方が圧倒的にうまく話している印象がありました。

２人とも、その場でお題を知り、同じお題について即興でスピーチをしています。

ＡさんとＢさんは、何が違うのでしょうか？

つい、文字数や構成方法に目がいきがちですが、その前に注目すべきこの２人の決定的な違いは、**内容の数**です。

Aさんは、1つの内容について、構成を用いてスマートに話しました。
Bさんは、1つ目を話している途中に2つ目3つ目と増えていき、結果的に4つの内容を話しました。

緊張すると、頭が超高速で動くようになるためアレコレ閃きやすくなります。
「コレを話そう」と、1つの内容を決めていても、ついつい閃いたことも伝えたくなっていくつも話してしまいがちです。
オヤツにチョコクッキーを食べようと思っていたのに、途中で塩っ気のあるものも食べたくなってポテチに手が出て、近くにあったお煎餅も食べてしまう……このように、次々と話す内容をプラスしてしまうメタボまっしぐらな思考になっています。

うまく話したいなら、メタボスピーチではなく、スマートなスピーチを目指しましょう。

「コレを話そう」と決めたら、その1つの内容に集中して話します。

別の話題が閃きにくくなるよう**「話す内容」ではなく、「構成」を意識します。**

「まずは概要を話そう、次に詳細、最後にまた概要を話してまとめよう」というように、構成を意識すると、他の話題が閃かなくなります。

チョコクッキーだけを食べようと決めて、3等分にして丁寧に食べるイメージです。

綺麗に3等分にするなら、どこでクッキーを折ればいいか考えますよね。

ポテチやお煎餅には目がいかなくなります。

人間の体もスピーチも、詰め込めば詰め込むほどメタボになります。

詰め込めるものにアレコレ目がいくクセがついている人は、絞る方法に意識を向ける習慣をつけましょう。

詰め込みすぎてパツパツになるよりも、少し余裕があるスピーチがしたいですものね！

31
緊張してもうまく話せる人は、1つの内容に絞って話す！

32 緊張しても

うまく話せる人は求められていることだけ話し、
話せない人はつい余計なことまで話してしまう。

約20人が集まるオンラインイベントへ参加したときのことです。

開催の3日ほど前に、主催者の方から次のような連絡をいただきました。

「1人1分ずつ自己紹介をしてもらいます。名前と、お仕事内容について話してください」

「これはありがたい……！」と、心の底から感じました！

どう自己紹介をすればいいかが明確にわかったからです。

こうして事前に知らせていただけるのは、緊張しいにとってはとてもありがたいことです。

前日に台本を作り、声を出して読み練をして、1分以内で終わるよう調整し、当日は台本を見ながら自己紹介をしました。

練習した通り、1分以内に滞りなく自己紹介をすることができました。

しかし、なんと、約20人いた参加者の中で1分以内に話したのは私だけ……。

さらに、「名前と仕事内容」というお題に沿った自己紹介ができたのも私だけでした。

このイベントを知ったキッカケや参加理由、住んでいる場所や家族構成など、与えられたお題以外のことを話して時間オーバーをする人ばかりで、全員の自己紹介が終わる頃には1時間が経っていました。

私がやったことは、とてつもなくシンプルです。

「○○について話してください」と指定されたことだけ話す、これだけなのです。

緊張したときこそ、シンプル・イズ・ベスト！

今この瞬間、何を話せば正解なのか？

答えがわかっていたら、それをわかりやすく話せるよう、全力投球しましょう！

緊張すると、周りからどう見られているか気になったり、自分がちゃんと話せているかも気になったりします。
色々と気になる気持ちはよくわかります。
しかし、注意散漫な自分を野放しにするクセをつけてはいけません。

名前と仕事内容について話してくださいとお題を与えられたら、シンプルに、名前を伝えて、仕事内容を伝えるのです。
話している途中で、「家族構成も紹介した方が、もっと自分のことを知ってもらえるかも……」とか、「参加理由を伝えた方がアピールできるかも……」などと、閃くかもしれませんが、話す必要はありません。

今この瞬間は、名前と仕事内容を話すのが正解で、それ以外は不正解です。

緊張したときに注意散漫になる自覚がある人は、今この瞬間の正解だけを話すことを習

慣づけていきましょう。

事前に正解がわかっているなら、台本を用意して練習するのがオススメです。

ちなみに、自己紹介を用意して参加したイベント終了後、主催者の方から「話し方を教えてほしい」とお仕事の依頼をいただきました。

自己紹介の内容もさることながら、時間内に適切に話した姿がいい意味で強烈にインパクトに残り、自分もこんな風に話せるようになりたいと思っていただけたそうです。

「今この瞬間は何が正解か？」の視点で話せるようになると、信頼されるというオマケもついてくるみたいですよ♪

32 緊張してもうまく話せる人は、「今この瞬間の正解」を考えて話す！

33 緊張しても

うまく話せる人は初対面は名前ネタで盛り上がり、話せない人は初対面は名刺交換で精一杯。

「初対面の人と、スムーズに会話できる方法はありますか？」
新入社員研修や営業社員向け研修をしていると、受講者さんからこのような質問をよくいただきます。

緊張しながら名刺を交換するのが精一杯で、気の利いたことも言えない……。
出だしで気まずい空気になって、そのあと話しにくくなってしまう……。
このように、悩んでいる人が多いようです。

安心してください！　とっておきの方法があります。
それは**万人共通の「名前ネタ」**です。

私は、イングリッシュドクターの西澤ロイさん、ビジネス数学教育家の深沢真太郎さんと、2年半ラジオで共演させていただいたことがあります。

共演が決まったばかりの頃、お2人とこういう会話をしました。

私「お名前の読み方は……『サワ』ですか？　それとも『ザワ』ですか？」

西「ザワです」

深「サワです」

私「ニシザワさん、フカサワさん、ですね！　覚えました！　ありがとうございます！

深沢さんは、フカザワさんって呼ばれることもあったりするんですか？」

深「よくありますよ〜！　もう諦めてます（笑）」

私「そうなんですね！（笑）　私は読み間違えられたことがないので羨ましいです♪」

このように名前ネタで盛り上がっていたのですが、お2人が「細かいところまで覚えてくれる、その感性が素晴らしい！」と褒めてくださって、一気に心の距離が縮まったのを覚えています。

他にも、この方法で初対面で会話が弾んだ人がたくさんいます。

エステティシャンの金田さんに「カネタさんですか？ カネダさんですか？」と聞いたところ、「カネタです。確認してくれた人は初めてです！ 嬉しいです！」と感激されたり。思い出したらキリがないほど、たくさんの人とお話をすることができました。

もちろん、その場の雰囲気は見ます。

話さない方がよさそうであれば、無理に会話せず「よろしくお願いします」とだけ伝えて終わりにします。しかし、お話ができそうな雰囲気であれば、毎回この「名前ネタ」を使って話しています。

私なりのルールもあるので、参考に紹介しますね！

丸山久美子というシンプルな名前の私は、このようなルールで話すようにしています。

・よく読み間違えられるという人には「羨ましい！」と伝える。

・私と同じようにシンプルな名前の人には「仲間ですね！」と伝えてみる。

他にも、相手の名前に合わせてこのようなルールも持っています。

・一発で読めない名前の人の場合は、読み方を教えてもらう。
・複雑な漢字の人には「書くとき大変だったりするんですか？」と聞いてみる。
・もし、あだ名が予測できたら「もしかしてあだ名は○○ですか？」と聞いてみる。

研修で、この方法とマイルールを紹介してワーク形式でやっていただくと、それはそれは名前ネタで会話が盛り上がります。「お相手の名前も覚えやすくなるので一石二鳥ですね！」と喜ぶ受講者さんも多いです。

どこの誰とでも使えるネタですので、ぜひ試してみてくださいね！

33
緊張してもうまく話せる人は、「名前ネタ」で盛り上げる！

34

緊張しても
うまく話せる人は新しい輪を作りだし、
話せない人は内輪ネタで損をする。

あなたは、飲み会などの場で複数人で話をするとき、声を出して会話に参加しますか？

それとも、黙って存在感を消して過ごしますか？


意外にも、緊張しいな人は黙っているよりも何とかして会話に参加しようとがんばる人の方が多いそうです。

決して、複数人での会話が得意なわけではありません。

「場の雰囲気を壊したくない」とか「1人ぼっちになりたくない」などの想いがあって、必死に会話に参加しようとがんばっています。


ただ、必死すぎるあまり、無意識に輪を乱すこともあります。

その代表例が「内輪ネタ」です。

自分が知っている話題があがったら「知ってる！　知ってる！」と知ってるアピールを始めます。そして、「あれってさぁ……」と、何とかその話題のまま盛り上げようと話を繋げ、知っている人だけがわかる内輪ネタを作ってしまうのです。


このタイプの人は、毎回どこへ行っても内輪ネタを作ってしまいます。

本人に悪気はありません。むしろ、相づちを打って会話を盛り上げているつもりです。


しかし、内輪ネタが通じない人にとっては、つまらない話に切り替えられた上に、急に輪の外に追い出されたような疎外感を抱きます。いい気分はしないでしょうし、あなたへの印象も悪くなるでしょう。

輪に入って必死に盛り上げようとがんばっても、思ったように盛り上がらなかったり、快く話してくれる人が減るなんてことにもなりかねないのです。

そうならないためにも、**会話が成立しているときほど「内輪ネタになっていないかな？」という視点でチェックするよう心がけてください。**

この内輪ネタチェックが習慣になると、あなたが無意識に輪を乱すこともなくなりますし、何より、内輪ネタに入れず疎外感を抱いている人を助けてあげることができるようになります。

万が一、進行中の会話が内輪ネタだったら、必ず輪の外に追いやられてしまった人がいます。その人へ、あなたから話を振ってあげてください。

「何て話しかければいいかわからない」と悩む方がよくいらっしゃいます。

私は、自分がされたら嬉しいと感じることをしています。

例えば、飲み会で内輪ネタが始まったら、その場を離れて、輪の外の人と2人で話すことが多いです。

無理に内輪ネタをやめさせる必要も、輪に入れる必要もありません。

「盛り上がってますね〜（笑）」とか言いながら、その人の隣に座ります。初対面の人なら自己紹介や、前項で紹介した名前ネタから始めるのが鉄板です。

知人なら、「今日の料理で1番のお気に入りはどれですか？」と聞く事が多いです。オススメを一緒に食べるもよし、なぜそれが好きなのか聞くのもよし！

他の店の情報や、自炊をするかしないかなど、食の話は万人共通なので重宝しています。

複数人で会話をする場では、つい自分が輪に入りたくて必死になりがちです。

しかし、輪に入りたいのはあなただけではありません。

日本人は8割以上が緊張しいだそうです。周りを見渡してみてください。

あなたと同じように、会話に入りたいけど緊張して入れない人が何人もいるはずです。

緊張しいだからこそ、緊張しいな人の気持ちをわかることができます。

自分が輪に入ろうとするのではなく、自分から輪を作ることも目指してみませんか？

34 緊張してもうまく話せる人は、緊張しいな人に声をかけて新しい輪を作る！

35

緊張しても うまく話せる人は計画的に笑いを作り、話せない人はアドリブで笑いを取ろうとする。

「笑いを取りたいです」

スピーチのレッスン中に生徒さんがそうおっしゃったので、私はこう聞きました。

「そのスピーチになぜ笑いが必要なのか、理由を教えてください」

人前で話すとき、面白い話をしたり小ネタを入れたり、何かしら笑いを取ろうとする人はとても多いのですが、この機会に一緒に考えてみましょう。

なぜ、笑いが必要なのでしょうか？

もし、「面白い人だと思われたい」「笑いのセンスがある人だと思われたい」など、**自分**

が聞き手からこう思われたいという理由なら、笑いには手を出さない方がいいです。

まれに天然の天才で面白い人もいますが、そもそも笑いは、「お笑い芸人」という1つの職業が成り立つほど、プロとしての知識や技術や立ち居振る舞いが求められるものなのです。素人が迂闊に手を出しても高確率で失敗します。

特に、緊張している最中にアドリブで笑いを取ろうとすることは、命綱をつけずにバンジージャンプをするくらい危険な行為です！

だいたいがスベリます。

笑わせようと思って話したのに、クスリとも笑いが起こらない……その場の空気がシーンと凍りつく……これだけでも地獄ですが、まだまだ続きがあります。

スベったらスベったときの対処法があります。しかし、それすら身につけず無鉄砲に笑いを狙ってスベるわけです。対処ができずアタフタして1人で笑って誤魔化して、聞き手は置いてきぼり……いよいよその場には摩訶不思議な空気が漂います。こうなるともはや大事故です（泣）。

極めつけに、この経験がトラウマとなり、人前で話すことの自信がなくなるという始末です。

他人事ではありません。

笑いを取ろうとして痛い思いをして、自信をなくす人は大勢いるのです。

MCを務めるイベントで、何度もお笑い芸人さんとご一緒してきました。

打ち合わせでイベントの詳細を伝えると、すぐさまネタのカスタマイズを始めてくれます。

ショッピングセンターでのイベントなら、フードコートで売っているアイスをネタに使って売上アップに貢献してくれたり、学園祭でのイベントなら、先生をネタにしつつ、その先生がいかに生徒思いな人であるか表現してくれたりします。

笑いを扱うプロは、自分のためではなく、笑ってくれる人たちのために、その人たちのその後のために、笑いを届けているのです。しかも、思いつきやアドリブではなく、綿密に設計し最適化した笑いを届けています。

この姿勢を、私たちも見習わせていただきましょう！

まずは、笑いを取りたいと思ったら「なぜ笑いが必要なのか」を考えてみましょう。

自分のためだったらやめましょう。高確率で失敗しますし怪我もします。

くれぐれも、**思いつきやアドリブで安易に笑いを扱わない**ように気をつけてください。

誰かのために、その場のために、笑いが必要だと判断したら、事前にしっかり作り込んで練習してから届けましょう。

作り方がわからなかったら、学ぶ必要があります。周りにいる面白い人は、何を、どのタイミングで、どう言っているから面白いと感じるのでしょうか？　話し方を分析したり、直接聞いたりして学ばせていただきましょう。

笑いは奥が深いものなのです。

35
緊張してもうまく話せる人は、とっさの思いつきで笑いを取ろうとしない！

36 緊張してもうまく話せる人は聞き手へ話しかけ、話せない人は聞き手を放置して飽きられる。

手元の台本だけをガン見して、ロボットのように無感情で淡々と音読をしていくだけのプレゼンを見たことがあります。

正直言って……退屈に感じてしまいました（泣）。

聞き手をまったく見ずに、ロボットのように台本を読まれると、つい「録画して流せばよくない!?」と思ってしまいます。

手元の台本が重要な気持ちはわかります。

でも、わざわざ生身の人間が話すのですから、もう少し血の通った人間味がほしいです。

チラリとも見てもらえないと、聞き手の存在はないものとして扱われている気がします。噛まずにスラスラ読めてはいても、まるで、独り言を聞かされているような感覚になってしまうのです。

ご本人がやっつけ仕事として取り組んでいるならいいですが、もし、一生懸命やった結果がこうなっているならとてももったいないことです。

特に、緊張しいな人はこうなりがちです。

「噛まないように！　ミスしないように！」と一生懸命に台本を読み上げます。せっかくがんばっているのに、ロボットみたい……とマイナスな印象になっていたら悲しいですよね。

ロボット読みにならないために、オススメしたいテクニックがあります。

聞き手へ話しかけるタイミングを作り、台本に書いておくことです。

一方的な話し方にならないよう、プレゼンを作る段階で、聞き手へ話しかけるイベントをいくつか用意しておきましょう。

代表的なことといえば「質問する」ですね。

聞き手に挙手で答えてもらったり、声を出して答えてもらったりするわけですが、ちょっとしたコツがあります。

聞き手の緊張感が高いと、声を出してもらえません。

あなたも緊張しいならば、気持ちはわかると思います。

話を聞く立場で参加したのに、突然話してくださいと言われたら戸惑いますよね。

聞き手も緊張するんです。

だから、**緊張感が高そうだと予想できるシーンでは、声を出してもらうのではなく、挙手で答えてもらえるようにする**といいです。

とはいえ、人前で手を挙げるのも緊張することなので、さらに聞き手の負担を軽減できる方法があります。**目線の誘導**です。

「お手元の資料の5ページ、上から3行目をご覧ください」や「左の円グラフをご覧くだざい」など、数字や表を上下左右でわかりやすく位置を伝えて、聞き手の目線を誘導するのです。

目を動かすだけなら緊張しないので、積極的に参加してもらえます。

プレゼンを作るときは、このように聞き手へ話しかけるタイミングを意図的に作って、台本にも書いておきましょう。

もし、とても緊張して台本を読むので精一杯になったとしても、台本自体に聞き手へ話しかける言葉が書いてあれば、一方的なロボット読みを防ぐことができます。

まずは、目線の誘導から取り入れてみましょう！

36 緊張してもうまく話せる人は、聞き手へ話しかけるタイミングを作っておく！

37 緊張しても
うまく話せる人は考えてから意見を言い、
話せない人は即意見を言おうとする。

「どう思う？」

会議などで急に意見を求められて、ドキッとしたことはありませんか？

「周りの人が注目してる……どうしよう……すぐに何か言わなくちゃ……！」

緊張しいな人なら、このように感じるのではないでしょうか。

聞かれたことに即反応しようと心がけることは、素敵だと思います。

しかし、「即意見を述べなければいけない！」と思っているなら誤解です。

即意見を述べようとする人は、こんな感じで答えがちです。

「えっと……！　いいとは思うんですけど！　あっ……でも！　この部分が少し気になるというか……いや？　そんな気にしなくても大丈夫ですかね……？　でも！　この前のものに比べたら……何と言うか……アレですね！」

自分の意見が何なのか把握できていないまま、スピード重視で言葉を紡ぎ合わせています。

本人は必死に意見を述べているつもりなのですが、はたから見るとテンパっているように見えてしまいます。

ここで1つ、お知らせしたい事実があります。

急に意見を求められたとき、即きちんと意見を述べることができる人は、ほとんどいません。

政治家、実業家、宇宙飛行士、著者、歌手、タレント、モデル……私は司会者として、様々なジャンルで活躍しているゲストの方々とトークショーでお話をしてきました。

私が「〇〇さんはどう思われますか?」と聞いて、即意見を述べた人は、半数以下です。

よほど頭の回転がよく、弁が立ち、自分の意見に自信がある人はできていました。

しかし、トークショーのゲストに招かれるレベルの人でさえ、半数以下です。

ポンポン意見が飛び交うように見えるテレビ番組があります。

アドリブで進行しているように見えるかもしれませんが、事前に何度もミーティングを重ねたり、「こういうテーマへ意見を述べてもらいますよ」と書かれた台本が配られることがほとんどです。多くの出演者は、事前に準備をしています。

それくらい、即意見を言うのは難しいことなのです。

だから、考えて答えても大丈夫です。

お世話になっているラジオプロデューサーのSさんは、考えるときの対応がとても上手です。まず、即反応しようと心がけていらっしゃるのでしょう。必ずすぐに声を出して反応してくれます。しかし、意見を言おうとはしていないのです。

その証拠に、Sさんは、意見を求められたら必ずすぐにこう言います。

「う～んとねぇ……そうねぇ～……」

こう言われると「考えてくれている」ということが伝わってきます。


急に意見を聞かれたときに大切なのは、Sさんのように即**「反応」して、真剣に考えている姿勢を伝えること**なのではないでしょうか。


スピード重視でテンパるのではなく、考えて意見を言う習慣をつけましょう。

そのためにも、**考えていることを伝えるための言葉を用意する**のです。

「そうですねぇ……」「ちょっと考えてみますね……」「考えをまとめますので、少々お待ちください」など、あなたが使いやすい言い方を考えてみてください。

37 緊張してもうまく話せる人は、考えていることをまず相手に伝える！

38 緊張しても うまく話せる人は聞き手の感想をきちんと確認し、話せない人は聞き手の態度だけで萎縮する。

講師としてセミナーに登壇するときは、カリキュラムが一通り終了したタイミングで、受講者の皆さまにアンケートをご記入いただいています。

アンケートには、セミナーへの満足度や感想を記入する欄があるのですが、見た目とのギャップがある内容を書いてくださる方がとても多いのです。

私は、芸能人ではありませんし、全国に名が知れているほどの有名人でもありませんので、参加者全員が「丸山さんの話を聞きたい!」と集まっているセミナーは稀です。

さらに、受講者様は、必ずしも参加意欲があるとは限りません。中には「上司に行けと言われたので、とりあえず来ました」と趣旨を理解していない人や、嫌々参加する人もいます。

腕や足を組んでいる威圧的な態度の人がいたり、頬杖をついてあからさまに眠たそうな顔をしている人もいます。

スピーチするときも、プレゼンするときも、人前で話すときは孤独です。

本番が始まったら自分だけが頼りです。

いくら緊張しても、いくらトラブルに見舞われても、自分の力で踏ん張って話さなければなりません。

目の前にいる全員が、大歓迎ムードで目をキラキラさせながら食い入るように話を聞いてくれるなら、少しは気が楽ですが、無関心な態度や冷たい視線を浴びると、不安や恐怖を感じます。

今より自信がなかった頃は、そんな聞き手の表情1つひとつに過剰に反応していました。威圧的な人や眠たそうな人を見る度に「きっと歓迎されてないんだ」「きっとナメられてる……」と感じて萎縮しては、しどろもどろになったりもしました。

某企業で管理職向けの研修を担当させていただいたときの話です。

受講者であるAさんは、腕を組んで首をかしげ、眉間にシワを寄せながら過ごしていました。私からはとても威圧的な態度に見えました。

研修の最後に、用意したアンケートに記入いただく流れでした。「Aさんは絶対にアンケートで低評価をつけるんだろうな……」と思っていたのですが、なんと！ 書いてくださったアンケートには、目を疑うほどビッシリと称賛の言葉が綴られていたのです。

人違いかもしれない……とも思いつつ、研修終了後、勇気を出してAさんに声をかけてみました。

すると、研修中には見せなかった大きな笑顔でニコッと笑い「わかりやすいし面白いし最高な研修でしたよ！」と大絶賛してくれたのです。

いくら腕を組んでいても、首をかしげていても、眉間にシワを寄せていても、相手の心は教えてもらわないとわからないものなのですね。

この一件以降、私は率先してアンケートを実施するようになりました。

目に見えている態度や表情だけが、その人のすべてではありません。心をそのまま映し出せる人もいれば、そうでない人もいるのです。

私たちのような緊張しいな人も同じですよね。

心底「好き！」と思っていても、いざ本人を目の前にすると、萎縮してうまく笑えなかったり表現できなかったりします。

世の中にも、そういう人が大勢いるようです。

表情だけを頼りに、相手の心まで決めつけるのではなく、どう思っているのかを教えてもらえるよう心がけていきたいですね！

38 緊張してもうまく話せる人は、見た目だけで聞き手の考えを決めつけない！

39

緊張しても
うまく話せる人は「緊張していて」と自分のことだけ伝えて、
話せない人は「○○さんのせいで」と相手を責める。

緊張を誤魔化すために、無意識に人を悪者扱いしていませんか？

指名などをされて、いきなり話さなければならないとき、緊張しいな人は、「うまく話せるかわからないんですけど」などと、最初に言い訳を言う場合が多いです。

この後うまく話せなくてもガッカリされないように、最初にできませんとアピールしてハードルを下げようとするのです。

私は、この「最初の言い訳」はしてもいいと思っています。

緊張しいな人にとって、最初に何かを話せるかどうかは死活問題です。

何でもいいから話せれば、その後も話すことができますが、最初で声が出せないと、その後もどもったり話せなくなったりしてしまいます。

だから、たとえ言い訳だとしても、何も話さないより話せているからマルと思っています。


しかし、いきなり話すシーンでは、周りの人を無意識に責めてしまうことがあるので気をつけてください。

無意識に人を悪者扱いするクセがついている人は「相手のせいで、自分はできない」という表現をします。


例えば、新しい部署に配属され、朝礼で1人ずつ自己紹介をすることになったとしましょう。

朝礼を仕切っているA課長から、最初に自己紹介をするよう当てられました。

そんなとき、こう言ってしまうことはないでしょうか？

「いきなり当てられたので、何を話そうかまだ考えられてないんですけど……」

何か話さなきゃ！　と必死になって無意識に出た言葉だと思います。

しかし、よ〜く分析すると恐ろしいことを言っているのです。


このセリフを、もっとわかりやすい表現にするため言葉を足して直すとこうなります。

「A課長がいきなり私を当てたので、何を話そうかまだ考えることができていません」


悪気があって言った言葉でないとしても、「A課長のせいで、できていない」という意味になってしまっているのが理解できるはずです。

まるで、A課長が悪いことをしたような表現ですよね。

ましてや配属されたばかりでこんな言い方をされたら、好印象ではないはずです。


緊張するとつい自分を守ろうとしすぎて、人を悪者扱いしやすくなるのです。

無意識に誰かを傷つけているかもしれません。

そんな風に話すなんて、あなたの本意でもないですよね。

この機会に、「いきなり当てられたので」と、人のせいにするような言葉を最初に言うクセがついていないか、過去の記憶を遡ってみてください。
もし、心当たりがあったり、「記憶はないけどどこかで言ってそう……」と感じたら、これからは、最初の言葉を意識する習慣をつけましょう。

最初に何か言い訳をしたくなったら、人のせいにするのではなく、自分の未熟さだけを伝えてください。

「緊張していて、ちゃんと話せるかわからないんですけど……」と言いましょう。
自分のためにする言い訳ですから、自分はこうだと伝えるのです。

緊張してもこういう細かい部分を意識できるようになると、自分と向き合いながら話せるようになっていきますよ！

39 緊張してもうまく話せる人は、話す前に人のせいにしない！

40 緊張しても うまく話せる人は自分の弱さや未熟さも見せ、話せない人は何でもできる人に見せようとする。

この本を書きながら、私は毎日ライブ配信をしていました。

「今日は何項目書きます！」と目標を宣言し、翌日にその結果報告をしていました。できることなら、毎日「目標達成できました！」と報告したかったです。

でも、何回も、達成できない日がありました。

自分で立てた目標にもかかわらず、達成できなかったと報告するのは、情けなくて惨めです。言い訳をしたくなる日も、配信をサボってしまおうかと思ったこともありました。

緊張しいな人は、理想の自分像を持っています。理想の自分になりたくて慣れないことにチャレンジするのが、緊張しいな人の特徴です。

「こういう自分になりたい！」と理想をもつのはとても素敵なことです。

だからこそ、1つだけ、この事実を忘れないでください。


今の自分は理想以下です。

テキパキ仕事をしたくても、予定通りにこなせなかったり。

堂々と話したくても、しどろもどろになることもあるでしょう。

決めたことを達成し続けたくても、できない日があるかもしれません。


そうなったときは、**隠さず伝える習慣をつけましょう。**

仕事で、上司への報連相が苦手な人や、人前だとつい見栄を張ってしまう人は、本当の自分と向き合うのが極端に苦手です。

理想通りにできない自分が、情けなくて惨めに感じる気持ちはわかります。

でも、それが今の自分の本当の姿です。

素直に受け入れ、素直に言葉にしてみましょう。

理想の自分を目指すことは素敵なことです。
しかし、理想に届いていないからといって、今の自分を隠す必要はありません。

どうか、今の自分も大切にしてあげてください。
理想に比べれば、言葉遣いも立ち居振る舞いも粗が目立つかもしれません。
ミスをすることが多かったり、目標を達成できないこともあるかもしれません。

でも、それが今のあなたの本当の姿です。
自分のいちばん身近な存在は、自分です。
自分で自分を否定したら、自分が可哀想です。

理想と現実の差を強烈に感じて落ち込むこともあると思います。
でも、理想より劣っている自分には価値がないなんて、絶対に思わないでくださいね。
価値がない人間なんてこの世に存在しないのですから。

今の自分のままで素直に話せる相手や環境を、自分で作っていきましょう。自分の弱さや未熟さと正面から向き合ってみるのです。

もっとうまく話せるようになりたいとか、もっと成長したいとか、もっとこうなりたいと感じるからこそ理想の自分に近づけます。変に大人ぶって斜に構える方がもったいないです。

いくら今の自分を隠そうとしても、人前で緊張すると簡単にメッキは剥がれます。普段は偉そうにふんぞり返っているのに、大勢の前で挨拶をするときに萎縮してアタフタしてしまう人ってカッコ悪いですよね。

緊張しいな人は、こうなりたいという理想の自分をもっています。たとえ理想通りにできなくても、今はそれでいいんです。だって、私たちは、理想の自分になることを諦めないチャレンジャーなのですから。

40 緊張してもうまく話せる人は、今の自分も認めて隠さない！

第5章

話す技術編

41

緊張しても
うまく話せる人は結論から伝え、話せない人は背景事情から説明する。

朝礼で、「昨日の出来事」をテーマに1分スピーチをすることになったとしましょう。

毎日顔を合わせている同僚の前だとしても緊張しますよね。

たった1分と言えど、できることならうまく話したいものです。


例として、2種類の話し方をご紹介します。

まずは、よくありがちな、うまく話せていない人の例から紹介します。

「初めてマラソン大会に出場したのですが、スタートで出遅れてランナーの波にのまれて転んでしまったんですが、何とか立ち上がって、5㎞ほど走ったところで給水所が見えてドリンクを取ろうとしたのですが、手が届かず取り損ね、そのまま走ることになって、喉が渇いた……もう限界だ……とリタイアすることを考えたのですが……」

……実にまどろっこしいですね。

対して、うまく話せる人の例をご紹介します。

「初めてマラソン大会に出場したんです。結論としては、無事にゴールすることができました！ でも、トラブル続出でした。まず……」

これなら、これからどういう話になっていくのか、聞いていてわかりやすいですね。

2つの話し方の大きな違いは、「話し始め」です。

うまく話せない人ほど、背景事情から話し始めます。

うまく話せる人ほど、先に結論を伝えます。

過去に、誰かに何かを話していて「で？（何が言いたいの？）」と言われたことはありますか？

話の途中で「で？」と言われると、「自分はうまく話せていないんだ」と自覚して、申し訳なさを感じたり情けなくなったりします。萎縮したり、それ以上話すのが怖くなる人もいるかもしれません。

相手からそのように言われたとき、受け止め方と挽回方法にはコツがあります。

1.「ラッキー」と受け止める

「で？」という反応を貰えてラッキーだった！　と受け止めましょう。

無意識に背景情報ばかり説明していることを知らせてくれています。

今すぐ軌道修正すれば挽回できます。チャンス到来です！

2.背景事情の説明を止める

まずは、黙りましょう。

いくら説明の途中だとしても、「で？」のサインをもらったら即ストップ！

くれぐれも、ここで追加の説明をしないようにしてください。火に油を注いでいるようなものです。

あなたの説明が足らないわけでも、相手がさらなる説明を求めているのでもありません。相手はただ、結論が知りたいだけなのです。

3. 結論を伝える

シンプルに、結論を伝えましょう。

ここまでに色々説明したことは、一旦ストップして横に置いてOKです。

ここでは、話し始め方が最大のポイントです。

「結論としては」という言葉から話し始めると、シンプルにまとめやすくなります。

相手が「で?」と言ってくれたらサインになるので対応できますが、1分スピーチやプレゼンなど、1人で話すシーンでは、つい背景事情の説明から話し始めがちです。

「結論としては」という言葉を使って話す習慣をつけると、いざ緊張したときにも結論から話せるようになります。

あなたの話し方をわかりやすくしてくれる言葉ですので、ぜひ使ってみてくださいね!

41　緊張してもうまく話せる人は、シンプルに結論から話す!

42 緊張してもうまく話せる人は「です」「ます」が多く、話せない人は「ので」「けど」が多い。

緊張しいな人がよく使う2つの言葉があります。

1つ目は「ので」です。

「ので」は理由と結論をセットで伝えるときに使う言葉です。

例えば、「AなのでB」「緊張しいなので人前で話すのが苦手」などです。

「ので」を使ったら、結論を言うのがルールになります。

2つ目は「けど」です。

「けど」は異なる意味を伝えるときに使う言葉です。

例えば、「AだけどB」「焼肉が好きだけどお寿司も好き！」などですね。

「けど」を使ったら、異なる内容を言うのがルールになるわけです。

このように「ので」や「けど」は、使い方にルールがある言葉です。ルール通りに使えばとても役に立つ言葉なのですが、緊張しているとルールを無視して何度も何度も意味なく乱用してしまうことがあります。

実際、こんな風に自己紹介をしている人を見たことがないでしょうか……。

「私は、もともと緊張しいな性格な**ので**人前で話すのが苦手なんです**けど、**うまく話せるようになりたい**ので**話し方の勉強をしたいんです**けど**……えっと……よろしくお願いします」

いくら必死に言葉を繋いでも、このように**ルールを無視した「ので」「けど」の乱用は話をややこしくします。**

結果的に、話している本人ですら内容がこんがらがって、何の話をしているのかわからなくなって焦った結果、緊張が高まりすぎて頭が真っ白になるのです。

なので、「ので」「けど」の他にもこれらの言葉を使ってください。

「です」「ます」です。

先ほど紹介した、「ので」「けど」を乱用したわかりにくい自己紹介も、「です」「ます」を組み合わせることでこのようにまとまります。

「私は、もともと緊張しいな性格な**ので、**人前で話すのが苦手**です。**でも、うまく話せるようになりたい**ので**話し方の勉強をしたいと思ってい**ます。**よろしくお願いします」

いかがですか?

同じ内容ですが、「です」「ます」が入ることで、まとまり方が変わりましたね。

ただ、緊張するシーンでいきなり言葉の使い方を変えるのは不可能です。

だから、まずは緊張を感じない日常のシーンで訓練していきましょう。

上司や部下と仕事で会話をするときや、同僚とランチへ行ったとき、仕事だけでなくプライベートでも家族や恋人、友人と話すときにやってみてください。

「ので」「けど」だけではなく、「です」「ます」も使って話すようにするのです。

日常会話で訓練をして「です」「ます」で話せるようになれば、緊張したシーンでもうまく使える確率が上がります。

ぜひ、会議や商談のシーンでも意識してみてください。

意識すればするほど、最初は頭がグワングワンするような変な感覚があると思います。

「今まで使っていなかった脳を使えている証拠！」と前向きに受け止めてください。

早速、明日から訓練を開始してみてくださいね！

42 緊張してもうまく話せる人は、「です」「ます」で言い切る！

43 緊張しても
うまく話せる人はメモに頼り、
話せない人は記憶に頼る。

「○○について話そう！」

と決めておいたのに、いざ人前に立って話し始めたら違うことを話してしまった……。


こんな経験はありませんか？


指導先の企業に、とても緊張しいな管理職のAさんがいました。

その企業では、部下に社会情勢を把握させるため、毎朝の朝礼で管理職から新聞の情報を伝えています。

Aさんは、通勤の電車で新聞に目を通し、伝えたい内容をピックアップして朝礼に挑んでいました。

しかし、その朝礼に同席させていただいたところ、何とも残念な話し方をしていました。

「えっと……あれ？　どこだっけ……」とページを探すところからモタついている上に、漢字が読めなかったり、噛みすぎてオロオロしているではありませんか！

これでは、通勤電車でしっかりと準備しているがんばりが、まったく報われていません。

Aさんに話を聞いてみたところ、朝礼が始まるまでは「このページのこの記事を読もう」と覚えていて、声に出してスラスラ読めるそうです。

しかし、いざ話すとなると、読みたい記事のページ数や、どこからどこまでを読もうと思っていたかが、わからなくなってしまうとのことでした。

そこで、Aさんには、新聞記事を読みながらトークをするニュース番組の動画を見てもらいました。

その番組では、拡大された新聞記事がパネルに貼られていて、それをアナウンサーが読み上げながら紹介していきます。

記事の文章をよく見ると、読み上げる部分にだけ赤線が引いてあったり、読みにくい漢字にはフリガナが書いてあります。

話すプロのアナウンサーでさえ、このように工夫をしているのです。

緊張すると、記憶力は低下します。

細かいメカニズムの説明は省きますが、これには自律神経や脳が関わっているそうです。

自律神経も脳も、簡単に操れるものではありませんね。

だからこそ、プロのアナウンサーのように、記憶がとんでも大丈夫な工夫をしておくことが大切です。

話すときは、記憶に頼るのではなく、メモや台本を用意するようにしましょう。

その後のAさんは、読みたいページに付箋を貼り、読みたい記事を蛍光ペンで囲むようになりました。

読みたい部分にも線を引き、読めなくなりそうな漢字にはフリガナを書き込む習慣をつけていったのです。

さらに、会議で資料を説明するときにも、この習慣を応用するようになりました。

今では、朝礼でも会議でも、とても流暢に話しています。

まれに、メモを見ながら話すのはＮＧというルールが設定されている場を見かけます。

そういったルールがない限りは、緊張しながらがんばる自分を支える意味でも、メモや台本を用意してみてくださいね！

43 緊張してもうまく話せる人は、事前にメモや台本を用意しておく！

44 緊張しても うまく話せる人は時間を守る工夫をして、話せない人は時間にルーズ。

「1分くらいで自己紹介をしてください」

人生で1度は、こう言われて自己紹介をしたことがありませんか？

持ち時間が決まっている状態で、人前で話す機会は、身近に多くありますよね。

私は、結婚式や表彰式などの式典で司会をすることがあります。

当日は、開宴前のタイミングで、スピーチをしていただく方々へご挨拶に伺います。

お話しすると、ほぼ100％の人が「緊張するなぁ……」とおっしゃいます。

スピーチの持ち時間は、事前に伝えていますが、人によって準備は様々です。

例えば、持ち時間が5分の場合。

あえて私から「スピーチは何分くらいの予定ですか？」と質問してみると、「5分と言われたので、それくらいの内容で考えてきました」と答えてくれるケースが多いです。皆さん、きちんと事前に持ち時間を把握できています。

しかし、いざ本番となると、時間の概念がふっとんでしまう人が多いのです。

5分で予定していたスピーチが、実際は10分、15分と倍以上になる人もいます。

表彰式などの式典であれば、時間管理をするタイムキーパーを配置して、スピーカーへ残り時間を見せることができます。しかし、結婚式ではそうもいきません。

スピーカーが話している最中に「もう時間です」と知らせることは難しいため、どんどん時間だけが過ぎていきます。

予定時間をオーバーして長々と話しているとき、ご本人は予定外のことをたくさん盛り込みアドリブ中心で話しています。

緊張しながらアドリブで話すと、自分自身にかなり負荷がかかります。

人前で話をするとき、思考回路やメンタルを冷静に保てる人は少ないです。そんな状況でアドリブで話を進めると、言葉遣いが雑になったり、構成がグチャグチャになったりして、わかりにくい内容になります。こういったことは、話している本人も自覚してきますし、場の雰囲気もドヨンとしてきます。

よほど話し方が魅力的だったり、アドリブでも構成が整っていたり、笑いを生み出せるほどハイレベルな話なら聞いていられますが、そんな人は滅多にいません。


このように、**持ち時間を意識せず本番で話してしまう人は、勢いでクオリティの低い話を披露することになります。**

こうした経験が重なると、「自分は人前でうまく話せない」と強く感じるようになっていくのです。

対して、事前に把握した時間に合わせて準備をし、その通りに本番で話せる人もいます。

「だいたいこういう内容を話せば5分だろう」と感覚で考えるのではなく、**構成や台本を作って本当に5分で話せるか練習するのです。**

腕時計を見ながら持ち時間をチェックする人もいますし、一緒に参加している仲間内の誰かにタイムキーパーをお願いする人もいます。このように、時間管理を意識できる人は、視野が広く話すのも上手な人が多いです。

同じように緊張していても、話す姿はまったく違います。

私が運営しているオンラインスクールでも、時間管理は練習の必須項目としています。

事前に何分かわかるのであれば、持ち時間の範囲で話せる内容を用意しましょう。

そして、台本も事前に声に出して読みましょう。

読んでみることで、「持ち時間より早く終わりそう」「持ち時間よりもっとかかってしまうかもしれない」といったことがわかりますよ。

44 緊張してもうまく話せる人は、持ち時間を意識して、声に出して練習する！

45

緊張しても うまく話せる人は意図的に間を使い、 話せない人は間に怯える。

営業の世界では「売れない営業ほどよく喋る」と言われています。
なぜ売れないのか？
それは、お客様に考える余地を与えていないからです。

自信がない人ほど、無言の時間を嫌います。
自分からの説明が一通り終わった後、お客様が言葉を発してくれなかったら、
「自分の説明がわかりにくいから、理解できていないのでは？」
など、不安になってきます。
実際は、お客様は、ただ黙って考えているだけなことがほとんど。
でも、自信がないと自分に何か否があると思い込んで、必死に挽回しようと話し続けて

しまうのです。

逆に、相手が無言になると、自分から話を切り出すのが怖くて、何も言えなくなるタイプの人もいます。

いずれにしても、無言の間を怖がっているのが特徴です。

対して、売れる営業は、あえて間を作ります。

「……以上がプランの内容です。いかがですか？」

と問いかけたら黙り、お客様が口を開いて話し始めるまで無言で待ちます。

これは、お客様が考えるためには間が必要だとわかっているからです。

考えてもらうためにも、意図的に間を作っています。

間はあらゆるジャンルで活用されています。

落語やお笑いでは、特に重宝されています。

聞いた話なのですが、ある落語家さんは、高座に上がってから一言も話さず無言のまま黙っている……という演出をするそうです。落語を聞きに来たのに、無言……その何とも言えない空気に耐えられず、観客が先に笑ってしまうんだとか！

間を制するものは、その場の空気を制するといっても過言ではありません。落語家さんのような笑いを生むための間を使いこなすことはできませんが、私も間の必要性は重々感じているので、よく使っています。

ただ、緊張しながら話すと、不安がよぎって間が取れなくなることもあるので、**絶対に間が作れるよう、事前に準備をしておく**ことが多いです。

例えば、司会をするときは、**台本にあえて真っ白な空欄を作っておきます。**

息を吸うほどの間であれば、3行空白を作ります。

もう少し長い時間の間がほしい場合は、あえてページの残り部分を空欄にして、その先のセリフは次のページから書き始めます。ページをめくるという動作が必要になるので、その間に自然と無言の時間が作れるのです。

深呼吸も効果的です。

プレゼンなどで、話が一区切りついたところで間がほしいときは、あえて深呼吸をします。

息を吸って吐く間は話せないので、無言の時間が作れます。

間を活用できる人は、必要性を理解した上で意図的に使っています。

聞き手が考えたいであろうタイミングや、ひと息ついて休憩したいタイミングなどでは、意図的に黙ってあげてくださいね。

どんな工夫や準備をすれば、緊張しても間を取れそうでしょうか？

台本や呼吸をヒントに、あなたに合った方法を考えてみましょう！

45
緊張してもうまく話せる人は、聞き手のタイミングで間を取る！

46 緊張してもうまく話せる人は答えやすく問いかけて、話せない人は前触れもなく問いかける。

緊張してもうまく話せる人は、どんなに緊張しても周りへの配慮を忘れません。

その場にいる人の居心地が少しでもよくなるよう、できる限りの工夫をします。


その1つに、質問をするときの聞き方があります。

複数人で集まるミーティングで、ファシリテーターを任されたとしましょう。

全員にまんべんなく意見を聞かなくてはなりません。

緊張すると、つい意見の聞き方にまで配慮が行き届かず、次のようにぶっきらぼうな聞き方になってしまうことがあります。

「○○についてどう思いますか？　Aさん！」

よくある聞き方かもしれませんが、これは答える側にはとても乱暴な聞き方です。

Aさんの立場になって考えてみましょう。

急に何の前触れもなく「○○についてどう思いますか？　Aさん！」と指名されても、自分の名前が呼ばれたことにビックリして、何を聞かれたのかまで覚えていないケースがほとんどです。

名前を呼ばれたら「え！　私!?」とビックリして、まずは自分が当てられた事実を飲み込むまで少し時間がかかります。そして、初めて、何を考えて答えればいいのかに意識が向きます。

先ほどの聞き方が乱暴なのは、急に当てられる人の気持ちに寄り添っていない聞き方だからです。

「これからあなたに質問しますよ」と合図を送る意味で、先に名前を呼んでから質問をしたほうが、聞き手が質問を考えやすくなります。

2つの聞き方を、見比べてみましょう。

×「○○についてどう思いますか？　Aさん！」
◎「Aさん！　○○についてどう思いますか？」

後者のように、**先に名前を呼んであげた方が、親切な聞き方になります。**

さらに優しく聞くのであれば、「Aさん！（Aさんが気づいて目が合うのを待つ）○○についてどう思いますか？」と、アイコンタクトが取れるまで待ってから、質問を伝えると最高ですね！

このような配慮は、私たちが緊張しいだからこそできるものです。
ミーティングの舵を握るファシリテーターだって緊張するのですから、急に指名されて意見を述べる側だって緊張するはずです。
ぶっきらぼうに前触れもなく話を振って、答えられずに嫌な思いをさせてしまうのは避けたいですよね。

だからこそ、丁寧に配慮を込めて聞きましょう。

自分も緊張するんだから、きっと相手も緊張する。

緊張する人の気持ちがわかるからこそ、できる配慮があります。
相手が少しでも答えやすくなるように、工夫をしてあげてください。
名前を先に読んであげるだけで、相手は答えやすくなります。

自分が緊張するときこそ、同じように緊張しそうな人がいたら、その気持ちに寄り添って話せるよう意識していきましょう！

46 緊張してもうまく話せる人は、周りへの配慮を忘れずに問いかける！

47 緊張しても
うまく話せる人はアシストすることを心がけ、
話せない人はゴールを決めようとする。

ヨーロッパのプレミアムリーグには、超有名サッカー選手が名を連ねています。

ここでは、多くのゴールを決めた得点王のほかに、ゴールへのアシストをした選手を称えるアシスト王という賞が設けられています。

パスを回したり、各選手への指示を出して試合の流れを生み出す存在は、チームの勝利には欠かせない存在です。

サッカーとコミュニケーションはよく似ているなぁと思います。

緊張してもうまくコミュニケーションが取れる人は、まさにアシスト王のような動き方をします。

ここでは、会話中にできる上手なアシスト法を、いくつか紹介します。

例えば、4人で話しているとしましょう。

お互いに知り合ったばかりだったり、全員が緊張していると、なかなか話が進みません。

そんなとき、会話をアシストしてくれる人がいると、とても助かります。

「じゃあ、自己紹介をしましょうか！」と、話のお題を決めてくれたり、「まずは、私から自己紹介をしますね」と、最初に話してくれると会話がスムーズに進みます。緊張している人はトップバッターを嫌がる傾向がありますから、最初に口火を切ってくれる人がいると、とてもありがたいです。

話す順番も「では、時計回りでいきましょうか」と決めてくれると、残りの3人も話しやすくなります。

アシストをするのが上手な人は、人の話を聞く姿勢も優れています。

頷きながら聞いてくれたり、微笑んでくれたり、「へ〜！」と適度なリアクションをしてくれたり、**「話を聞いていますよ」と態度で示してくれる**ので、話しやすい空気になります。

話し終わったタイミングで、笑顔で拍手をするのも、最高のアシストです！

話し終えた本人は、拍手をもらうことで「ちゃんと伝わったんだ」と安心できるでしょうし、次に話す人は出番の合図にもなるので心の準備ができます。

たとえ緊張していたとしても、黙って受け身を決め込むのではなく、**「その場にいる全員が過ごしやすくなるには、どうすればいい？」**と考える習慣をつけるとパスが回せるようになります。

緊張するとシーンとした間が怖くなって「何か話さなくちゃ！」「盛り上げなくては！」と必死にアレコレ話し続ける人がいますが、それは逆効果です。

1人でゴールを狙って外しては、また1人で何本もシュートを打って外して……といった単独プレーを繰り返しているように見えてしまいます。

必死にがんばっても、はたから見たら空回りに見えるのは、とても切ないですよね。

その場の空気を自分1人で背負おうとするのではなく、パスを回す先を探すのです。

自分が緊張していたら、周りの8割の人も緊張しているはずです。

まずは周りを見渡して、全体像を確認してみましょう。

何人いますか？　話し出せずに困っていそうな人はいますか？

どんなパスを出してあげたら話しやすくなるかなどを、考えてみましょう。

得点王を目指す必要はありません。

アシスト王として、同じときを過ごす方々へパスを回してあげてください。

47 緊張してもうまく話せる人は、積極的にパスを回す！

48 緊張しても

うまく話せる人は「自分をよく見せたい」と考える。
話せない人は聞き手が「どう見えているか」を気にかけ、

人前で話すとなると、ついオシャレをしたくなるのは私だけでしょうか？（笑）

いつもよりしっかりメイクをしたり、キラキラ光るアクセサリーをつけたくなったりします。服にシワがないか気になりますし、少しでもスタイルがよく見えるよう高いヒールの靴を選びたくもなります。

人前に立つのですから、正直、少しでもよく見られたいです。

でも、この**「少しでもよく見られたい」という気持ちは、実は危険です。**

いちばん近い席に座っている人と目が合ったとき、ニコニコした顔つきでウンウンと頷いて話を聞いてくれていたらホッとしますが、現実はそうはいきません。

特に最初のうちは、ほとんどの人が無表情ですし、頷いてくれる人は滅多にいません。「私の説明がわかりにくいのかもしれない……よく思われてないのかもしれない……」と不安になります。

目が合った人に「あなたは話すのがヘタですね」と言われたわけでもないのに、無表情だから、頷いていないからという理由で、勝手にこちらがよく見られていないと思い込んでしまうのです。

こうしてアレコレ余計な想像をするうちに無駄に頭を使って、話の内容に集中できなくなったり、ミスをしたりしてしまいます。

しっかりメイクをしたり、身なりを整えたりすることは何ひとつ悪いことではありません。しかし、「よく見せたい」と思うほど、「どう見られているか」ばかりが気になってしまうのです。

「どう見られるかなんて気にしなきゃいいじゃん」と言われることもありますが、私は気にすること自体をゼロにするのが無理でした（だって、もう、何をどうしても気になるので)。

「目の前にいる人をジャガイモだと思って話せばいい」という緊張対策方法を聞いたことがあると思います。私も、緊張をなくそうとしていた頃は藁にも縋る思いでこの方法を試してみました。

1度でもこの方法を試したことがある人なら、わかると思います。

目の前にいる人を、ジャガイモだと思うなんて無理です。

こういうときは、意識を向ける先を、「自分」ではなく「聞き手」へ変えることをオススメします。

見られ方ではなく、見え方を意識するのです。

例えば、プロジェクターでパワーポイントの資料を投影するときは、本番が始まる前にいちばん遠い席に座って見えにくくないかを確認します。

実際に座った目の高さから、投影している資料は見えるか、文字が小さくて読めない部分はないか、色・明るさなど、可能な限り見え方を確認してみましょう。

緊張してもうまく話せる人が、よく言う言葉があります。

「いちばん後ろの列に座っている皆さん、見えますか？」

その場にいる全員へ、資料が見えているかを確認するのです。

緊張するとうまく話せない人は、いちばん後ろの人が見えにくいかも、なんて気づきもしません。自分がどう見られているか、そればかりが気になるからです。

「どう見られるかを気にしてはいけない」と言いたいのではありません。

私だって気になります。

しかし、いくら気になったとしても、答えは相手にしかわかりません。

答えがわからないことに頭と時間を使うより、自分ができることへ意識を向ける習慣をつけましょう。

48　緊張してもうまく話せる人は、「どう見られているか」ではなく「どう見えているか」を確認する！

49 緊張しても うまく話せる人は距離に合わせて声を出し、話せない人は自信がないと声が出せない。

誰かとキャッチボールをするシーンを思い浮かべてみてください。

あなたと相手の距離がたった１ｍだとします。

相手へボールを投げるときは、下から上に、軽〜くボールを投げて渡すはずです。

では、あなたと相手の距離が、20ｍも離れていたらどうでしょう？

１ｍのようには投げないはずです。プロの野球選手さながら、振りかぶって大きく腕を振り下ろし全力で投げるのではないでしょうか。


声の出し方は、このボールを投げる感覚と似ています。

１ｍ前にいる人に向かって「おーい」と声をかけるのと、交差点の向こう側にいる人に向かって「おーい」と声をかけるのとでは、声の大きさはもちろん、呼吸も変わってくるはずです。

緊張してもうまく話せる人は、このように、距離によって声が変わることをわかっているのです。

無意識の場合もありますが、**自分と相手との距離に合わせて声の大きさや強さ、呼吸を変化させています。**結果的に、相手へ届く声が出せるのでコミュニケーションが取れて話せるようになるのです。

対して、緊張するとうまく話せなくなる人は、自信のあるなしによって声が変わります。ある意味、とても素直です。

普段は、声が小さく聞き取れなかったりしてコミュニケーションが円滑に進まないのに、趣味の話や得意分野の話になると、水を得た魚のように話せる人っていますよね。

逆に、普段は大きい声で話せるのに、人前だと自信がなくなって声が怖気づいてしまう人もいます。仲間内だとゲラゲラ笑って話せるのに、大勢の人の前だと萎縮して話せなくなる、友達とは普通に話せるのに、好きな人の前だと話せなくなってしまう、心当たりのある方もいるのではないでしょうか。

緊張するシーンでは、多くの人が自信は弱まり、小さくて細々とした声になりがちです。震えることもあるでしょう。しかも、よくそうなるはずです。

「また、あんな風になるかもしれない……」そう思うと怖くなって、さらに自信がなくなり声が弱くなっていくというカラクリです。

自信任せにしていたら、どんどん声が出しにくくなります。

先ほどお伝えしたように、声はボールと同じです。

自信があろうがなかろうが、1m前にいる人にはその距離で届く声を出し、遠くにいる人には、たっぷり息を吸って全身を使って声を届ける必要があります。

緊張すると声が小さくなってしまう人は、距離に合わせて声を出す練習をしてみましょう。

協力してくれる人がいたら、近い距離と遠い距離に立ってもらって話しかけてみてください。協力者がいなかったり、1人で練習したい場合は、声を届ける位置にぬいぐるみやスマホなどの目印を置いて、そこまで届くように声を出してみましょう。


大きい声と言えば、わかりやすいのは山びこですね。

小さい声だと山びこは返ってきません。

山びこが返ってくるほど「ヤッホー！」と大きな声で叫ぶには、すぅぅぅ〜っとたくさん息を吸ってから全身で声を出す必要があります。


私の生まれ故郷である和歌山県には、「日本一楽しいヤッホーポイント」なるものがあります。「ヤッホー！」と、大きな声を出す練習をするにはもってこいの場所です。

お近くの方や、和歌山へ行かれることがある方はぜひ大きな声で叫んできてください♪

49 緊張してもうまく話せる人は、自信に関係なく声が出せるよう練習する！

50 緊張しても
うまく話せる人は手を高い位置にセットし、
話せない人は無意識に手を低くセットする。

記憶に残る情報の約9割は、視覚から得る情報だと言われています。


人前で話すとき、視覚から得る情報には何があるでしょうか？

投影するパワーポイント、配布する手元の資料、話す人の服装や髪型などなど……。

たくさんありますが、その中でも**特に緊張によってパフォーマンスが変化しやすいのが「ジェスチャー」**です。


緊張は、もともと人間に備わっている危険予知能力の1つです。

「ここは危険かもしれない」と感じるわけですから、生命を維持するために重要な部分を守ろうとセンサーが作動します。

センサーが働いている人は、次の3つのうちのどこかを手で守っています。

1．頭　2．心臓　3．股間

中でもいちばんよく見かけるのが3を守っている人です。

本人は「守っている」なんて思っていません。完全に無意識でこのポーズになっています。慣れない場所や慣れないチャレンジに挑むと、体が勝手に「ここは危険かもしれない」と判断するので、本人が無意識に守っているのです。

この3を守るポーズは、危険から身を守るポーズですので、活発に体を動かせなくなります。

立った状態で、実際にポーズを取るとわかりやすいのでやってみてください。

立って腕を下へ伸ばし、両手を重ねます。肘が伸びるので、肩が内側に寄って猫背になります。

猫背になると、胸が縮こまるので肺が圧迫され呼吸がしにくくなります。

呼吸がしにくい状態だと、息がたくさん吸えないので、声が小さくなったり震えたりします。

さらに、そのポーズのままジェスチャーを出してみてください。

低い位置に手があるので、上がっても肩くらいの高さのジェスチャーになります。

緊張しながら話すときは、もっと低い位置にしかジェスチャーを出せなくなります。

このように、動きを封じ身を守るためのポーズになっているのです。

緊張したとき、**手のポジションを無意識のまま放っておくと、いくらがんばってジェスチャーを出しながら話しても、聞き手の視覚に入らない位置になっている可能性が高いのです。**

胸より低い位置でジェスチャーしても、最後列に座っている人にはまず見えません。

いちばん前に座っている人へも、机やパソコンに隠れて見えないこともあります。

ジェスチャーは印象を左右します。

ピシッとパシッと出せる人の方が、うまく話す人という印象になります。

だから、緊張してもうまく話せる人は、ジェスチャーを大切にしているのです。

まず、後ろの人にも見えるよう高い位置に出します。最低でも肩より上。顔の横や頭の上まで出すこともあります。

ポイントは、最初のポーズにあります。

最初から意識して、手を高い位置にセットしているのです。

オヘソから胸までの間くらいの位置でセットする人が多いですね。この位置からジェスチャーを出せば、最低でも肩より上に手を上げることができます。

ジェスチャーを堂々と出せている人は、緊張していないように見えることでしょう。

しかし、誤解しないでくださいね。緊張していないのではなく、聞き手に見える位置にジェスチャーを出せるよう、最初から意識して手の位置を高くセットしているのです。

50 緊張してもうまく話せる人は、手の位置を高くセットして、話し始める！

おわりに

「はじめに」でも触れましたが、学生時代に、肺に穴が空いたことがあります。

突然、体内から「パンッ！」と巨大な風船が割れるような音がして、激痛が走り息が吸えなくなるのです。

「痛い！」「つらい！」「助けて！」、そう言いたくても、声を出すことができません。

そんな経験をして、私は気づきました。声が出せることは、当たり前ではありません。

今この瞬間、声を出して話せることは、当たり前ではないのです。

また肺に穴が空く確率は70％くらいと言われました。

そんな経験があったからこそ、「声が出せるうちに、人前で話せるようになりたい」と思うようになりました。だから、何千回もがむしゃらに場数を踏めたのでしょう。一度は心も体も壊しましたが、今となってはよかったと思っています。

緊張を克服する以外の方法を身につけることができたし、緊張しいな自分を好きになることもできました。そして今、こうして緊張しいなあなたと出会うこともできました。

あの頃の苦労は無駄ではなかったと、胸を張って言えます。

でも、できることなら、緊張しいな人たちに同じ苦労はしてほしくないです。

緊張しいな人たちには、緊張を克服することを目指すのではなく、緊張と共存する道もあるのだと伝えたくてこの本を書きました。

緊張は、チャレンジの証拠です。

緊張しながらチャレンジするあなたは偉いです！

どうか、あなた自身を褒めて、好きになってあげてください。

緊張しながらチャレンジしている人を見かけたら、応援してあげてください。

もし、緊張を克服できずに困っている人がいたら、共存する道もあるということを教えてあげてください。

デジタル化が加速する現代では、「緊張するから話したくない。言いたいことは文字で伝える」という人が増えています。でも、こうしたことを続けていると、緊張を言い訳に都合のいい方へ逃げるクセがついてしまう気がします。

話したくないから文字で伝えるのではなく、話して伝えられることを、必要に応じて文字でも伝えられるようになりたいですね。

そういう人が増えれば、世界はもっと優しくなるのではないでしょうか。

……最後の最後に世界平和を語ってしまいました（笑）。

でも、本当にそう思っているので、私はこれからも、緊張しながら自分の声で伝えていけるようチャレンジし続けます。

いつかお会いできたら、あなたのチャレンジ談も聞かせてほしいです。

これからも一緒に、緊張しながらチャレンジしていきましょう！

本書を読んでくださったあなたのことを、心から応援しています。

丸山　久美子

著者
丸山久美子（まるやま・くみこ）
株式会社シャベリーズ代表取締役

18歳から展示会を中心としたイベント業界で従事。

もともと緊張しやすい性格だが「人前で話せるようになりたい」と思いMCとして活動するも、ステージ上で頭が真っ白になったり、手が震えてマイクを落とすなど数々の失敗を経験。

緊張を克服しようと試みたが、逆にストレス過多となり心身症を発症。

緊張を克服するのではなく、独学で緊張と上手く付き合う方法や話し方を身につけ、年間385本の仕事をこなすMCに成長。企業のプレゼン代行、イベントや結婚式での司会進行、ラジオパーソナリティ、生放送通販番組のMCなど、人前で話す仕事を3000回以上経験する。

2020年に株式会社シャベリーズを設立。

現在は、人前で話せるようになりたいと願う人々へ、オンラインスクールや企業研修、行政や商工会議所でのセミナーを通じて、緊張との付き合い方や話し方のトレーニングを提供している。


著書に『上手にあがりを隠して人前で堂々と話す法』（同文舘出版）がある。

緊張しても「うまく話せる人」と「話せない人」の習慣

2023年9月18日　初版発行
2023年11月20日　第11刷発行

著者　丸山久美子
発行者　石野栄一
発行　明日香出版社
〒112-0005 東京都文京区水道2-11-5
電話 03-5395-7650
https://www.asuka-g.co.jp
デザイン　菊池 祐
組版　野中賢 / 安田浩也（システムタンク）
校正　株式会社鷗来堂
印刷・製本　中央精版印刷株式会社

ISBN 978-4-7569-2286-1